Lírica española de hoy

Letras Hispánicas

Lírica española de hoy

Antología

Edición de José Luis Cano

DUODÉCIMA EDICIÓN

CATEDRA

LETRAS HISPANICAS

Ilustración de cubierta: Zush

© Ediciones Cátedra, S. A., 1990
Josefa Valcárcel, 27. 28027 Madrid
Depósito legal: M. 19.143-1990
ISBN: 84-376-0028-6
Printed in Spain
Impreso en Anzos, S. A.
Fuenlabrada (Madrid)

Índice

Introducción

Dámaso Alonso ha escrito que la poesía española de este siglo constituye un nuevo siglo de oro comparable al que España gozó en el XVI y en el XVII con las grandes figuras de Lope, Quevedo, Góngora, San Juan y Fray Luis de León. La afirmación no creo que pueda ser discutida por nadie. Los nombres de Antonio Machado, de Miguel de Unamuno, de Juan Ramón Jiménez y de los grandes maestros de la generación del 27, desde Jorge Guillén a Vicente Aleixandre, son suficientemente expresivos como para no tener que insistir en demostrarlo. Claro es que se trata de dos generaciones cimeras, de las que surgen pocas veces en un mismo siglo. No parece, hasta ahora al menos, que las generaciones poéticas que han venido después puedan alcanzar la calidad y riqueza de aquéllas, y con razón afirmaba García Lorca que la poesía española de su época era «la más hermosa poesía de Europa». Desgraciadamente, la guerra civil dispersó a aquel extraordinario equipo de poetas. No sólo perdimos a tres de los más grandes —Unamuno, Antonio Machado y Federico García Lorca—, sino que otro grupo importante y muy nutrido, formado por Juan Ramón Jiménez, León Felipe, Guillén, Salinas, Cernuda, Moreno Villa, Alberti, Domenchina, Prados y Altolaguirre, por citar sólo a los más conocidos, escogió el camino del exilio al terminar la guerra o en el transcurso de ella, y ha continuado realizando su obra lejos de la patria. Un panorama de la poesía española de los últimos treinta y cinco años no podrá eludir esa circunstancia —el exilio de gran parte de la generación del 27—, porque ella influyó de modo decisivo en la evolución de la obra de esos grandes poetas hacia una corriente realista y temporalista, ya iniciada un cuarto de siglo antes por Antonio Machado. Esa tendencia al realismo, a una poesía más comunicable, más directamente humana, iba a producirse también en los poetas que quedaron en España, y más temprano o más tarde, iba a afectar no sólo a los poetas de la generación del 27, sino a los de las generaciones siguientes: la del 36 y la de posguerra.

La primera generación de posguerra

Contra lo que cabría esperar, los jóvenes poetas que surgen en los primeros años cuarenta no reflejan en su poesía, al menos de un modo directo, la experiencia dramática de la guerra reciente. Un neogarcilasismo puramente formalista domina en buena parte de aquellos, herencia quizá del movimiento restaurador de la rima iniciado poco antes de la guerra por algunos poetas de la generación del 36, como Luis Rosales en su libro *Abril* y Germán Bleiberg en *Sonetos amorosos*.

En la primavera de 1943 funda José García Nieto, con otros poetas de su generación, la revista *Garcilaso*, que fue durante varios años el órgano de aquel movimiento. El manifiesto inicial de la revista no contenía en realidad ningún programa poético, y su alcance se limitaba a intentar una justificación del título, como una ofrenda al poeta de las *Églogas*, proclamando la consigna de vivir «bajo la influencia estelar de su vida, su verbo y su ejemplo». Y como lema, un verso de la *Elegía II* a Boscán: «Siempre ha llevado y lleva Garcilaso.» Aunque desde el primer momento la revista acogió a poetas de las más diversas tendencias, el propio García Nieto ha confesado que

10

les animaba al fundarla el propósito de «encauzarnos ordenadamente en la línea clásica, tradicional, de nuestra poesía: valoración de la estrofa y de la rima, sujeción a la medida, forma, claridad comunicación...».

Ahora bien, a ese propósito se habían anticipado ya, apenas terminada la guerra civil, otros poetas, como Dionisio Ridruejo, que en 1939 publica su *Primer libro de amor*, compuesto todo él de sonetos y que viene a ser el eslabón que enlaza el intento formalista de Rosales y Bleiberg con el neogarcilasismo de García Nieto y otros poetas de la llamada «Juventud Creadora». Se produce entonces una verdadera epidemia sonetil, que afecta incluso a los mejor dotados. No es una casualidad que el primer volumen de la Colección «Adonais», fundada el mismo año que *Garcilaso* por Juan Guerrero Ruiz y quien estas líneas escribe, fuese un libro de sonetos, los bellos *Poemas del toro*, de Rafael Morales. Debe advertirse, sin embargo, que el período acentuadamente formalista no duró sino muy pocos años, de 1939 a 1944, aproximadamente. Los primeros volúmenes de la Colección «Adonais» vinieron a servir de cauce a nuevas voces poéticas, en las que, más que un regreso a los clásicos, se observa ya un acento neorromántico y un aumento de la temperatura poética. Así en los libros de José Suárez Carreño, Vicente Gaos, Carlos Bousoño, Eugenio de Nora y otros. Al frío formalismo de los garcilasistas respondió pronto la corriente antiformalista que representaba la revista *Espadaña*, fundada en 1944, en León, por Victoriano Crémer y Eugenio de Nora. En el número 2 de *Espadaña* escribe Crémer: «Va a ser necesario gritar nuestro verso actual contra las cuatro paredes o contra los catorce barrotes sonetiles con que jóvenes tan viejos como el mundo pretenden cercarle, estrangularle. Pero nuestro verso, desnudo y luminoso, sin cosnsignas. Y sin necesidad de colocarnos bajo la advocación de ningún santón literario: aunque se llamen Góngora o Garcilaso.» Está clara, pues, la intención anticlasicista y antiformalista del grupo de *Espadaña*, que defendía una rehumanización y una liberalización de la poesía. Al aumento de temperatura poética y a esa corriente rehumanizadora había contribuido la publicación, en 1944, de dos grandes libros, *Sombra del paraíso*, de Vicente Aleixandre, e *Hijos de la ira*, de Dámaso Alonso, que ejercieron una influencia liberalizadora de los cauces formalistas sobre los poetas jóvenes mejor dotados.

Hacia 1950 surge una nueva generación de poetas que intensifican la tendencia antiesteticista y antiformalista iniciada en 1944. Y cuando en 1952 aparece la *Antología consultada de la joven poesía española*, editada por Francisco Ribes, fue ya posible medir en toda su importancia el cambio de rumbo emprendido por esa nueva generación, que rechazaba el purismo y el minoritarismo, adhiriéndose al concepto temporalista de la poesía defendido por Antonio Machado. Se vio entonces hasta qué punto los nuevos poetas se habían alejado del esteticismo y el formalismo anterior, y aceptaban la definición de la poesía dada por Vicente Aleixandre: «Poesía es comunicación.» Es decir, la poesía no es nada si no logra comunicar al hombre, al lector, su latido más hondo, la imagen y situación del poeta mismo, de su mundo poético. El alejamiento de la poesía pura, de la poesía minoritaria, se expresa, por ejemplo, en la dedicatoria que estampa Blas de Otero al frente de uno de sus libros: «A la inmensa mayoría», y en la afirmación de otro gran poeta, Gabriel Celaya, de que «la poesía no es un fin en sí, sino un instrumento para transformar el mundo». Está claro, pues, que el nuevo concepto de la poesía que resulta de la evolución que venimos señalando no se apoya en los elementos puramente formales, estéticos, del poema, sino más bien en la emoción de su contenido, en su capacidad de comunicación, de reflejar la situación y circunstancia del hombre de hoy. Lo que distingue a gran parte de la nueva poesía española es, pues, la entrañable relación entre vida temporal y poesía: su temporalidad e historicidad, siguiendo en ello a Antonio Machado. Sólo esa relación da a la poesía un valor testimonial, y refleja la vida total del hombre situado en un tiempo y en un espacio históricos. Como escribió Vicente Aleixandre, «el tema esencial de la poesía de nuestros días es el cántico inmediato de la vida humana en su dimensión histórica: el *cántico* del *hombre situado*, es decir en cuanto localizado en un tiempo, que es irreversible, y en un espacio, en una sociedad determinada, con unos determinados problemas que le son propios y que, por tanto, le definen».

La generación del 50, en efecto, se caracterizó, sobre todo en su primera fase, por una fuerte corriente de poesía social, que tuvo sus órganos más representantivos en la revista *Poesía de España*, dirigida en Madrid por los poetas Angel Crespo, José Manuel Caballero Bonald y Gabino Alejandro Carriedo, y en la barcelonesa colección Colliure, dirigida por el crítico José María Castellet, en la que publicaron libros los poetas más destacados de esa tendencia, que se caracterizaba por los temas de preocupación social y política, y sobre todo el tema de España, con su dramático destino —la guerra civil y sus consecuencias—. Pero junto a esa corriente de poesía social surgió otro tipo de poesía más reflexiva y meditadora, poesía de pensamiento, preocupada por los problemas del hombre total, de la vida como residencia, fascinante y dolorosa residencia del hombre de hoy. Y en esa poesía ya no están excluidos otros temas —el amor, la soledad, la frustración, el paisaje— que la corriente del realismo social solía excluir.

La nueva generación, o algunos de sus representantes más cualificados, no parece haber escogido el camino fácil de la poesía de tendencia, sino el más universal y responsable de una poesía que refleje con fidelidad al hombre en su total destino: personal e histórico. El lector de esta poesía última observará, por otra parte, que su lenguaje se ha ido clarificando en una expresión cada vez más comunicable y directa. Cada poesía, en cada época, pide y crea su propio lenguaje, su expresión propia. La de los nuevos poetas españoles se aleja totalmente de todo hermetismo, de toda intención minoritaria, para alcanzar una comunicabilidad mayor a través de un lenguaje claro y directo, que aspira a ser entendido por todos, o al menos por la mayor cantidad posible de lectores. El famoso lema de Juan Ramón Jiménez, «A la minoría, siempre», o «A la inmensa minoría», sería rechazado hoy en masa por la nueva generación. Cierto es que esa nueva poesía, preocupada por problemas que ya no son los puramente estéticos, los de la belleza del poema, ofrece un indudable peligro: el de que pierda en calidad, en inefabilidad, lo que gane en capacidad de comunicación. Pero a la vista de los más recientes libros de aquellos poetas, fieles a una tradición de calidad y dignidad poéticas, me parece que aquel peligro puede considerarse superado.

Unas palabras finales sobre la generación de los llamados *Novísimos*, que ha irrumpido deportivamente en el *stadium* poético, rompiendo con el realismo social y la poesía crítica de las generaciones anteriores. En efecto, los más jóvenes poetas, que han sido presentados por José María Castellet en su antología *Nueve novísimos*, no quieren saber nada de la poesía moral y comprometida de los años cincuenta.

Su aparición representa una vuelta a las actitudes esteticistas y experimentales de la generación del 27 en su primera fase, e incluso al decadentismo modernista. Los *novísimos* reivindican no sólo el *art nouveau* sino también el surrealismo y el culturalismo, incorporan lo *camp*, y hacen literatura sobre literatura.

Aunque todavía es pronto para juzgar una escuela

14

que está dando sus primeros frutos, me ha parecido que en una antología que se llama *Lírica española de hoy* no podía faltar una muestra de esos poetas *novísimos* que se baten por los fueros de la imaginación y la fantasía, y se aventuran en la corriente irracionalista de la poesía. Aunque insuficiente, esa muestra —los poemas de Manuel Vázquez Montalbán, Pedro Gimferrer y Guillermo Carnero— bastará, espero, para que el lector pueda percibir los rasgos más característicos de esa nueva escuela, llamada también por algunos escuela veneciana.

* * *

Precediendo a cada selección encontrará el lector las oportunas notas bio-bibliográficas de los poetas.

L. C.

Antología

Carmen Conde

Nació en Cartagena, en 1907. Reside en Madrid. Cultiva también la novela y el ensayo.

Obras de poesía: *Brocal*, Madrid, Cuadernos literarios, 1929; *Júbilos*, Murcia, Edic. Sudeste, 1934; *Pasión del verbo*, Madrid, 1944; *Ansia de la gracia*, Madrid, Adonais, 1945; *Honda memoria de mí*, Madrid, Ed. J. Romo, 1946; *Sea la luz*, Madrid, Col. Mensajes, 1947; *Mi fin en el viento*, Madrid, Adonais, 1947; *Mujer sin Edén*, Madrid, 1947; *Iluminada tierra*, Madrid, 1951; *Vivientes de los siglos*, Madrid, Col. Los Poetas, 1954; *Los monólogos de la hija*, Madrid, 1959; *En un mundo de fugitivos*, Buenos Aires, Losada, 1960; *Derribado arcángel*, Madrid, Ed. Revista de Occidente, 1961; *Jaguar puro inmarchito*, Madrid, 1963; *Obra poética*, Madrid, Biblioteca Nueva, 1967; *A este lado de la eternidad*, Madrid, Biblioteca Nueva, 1970; *Cancionero de la enamorada*, Ávila, El Toro de Granito, 1971; *Cita con la vida*, Madrid, Biblioteca Nueva, 1976; *Conosión*, Madrid, Biblioteca Nueva.

MADRE

Recuperada

Sí. Eres el hueso de mi madre,
pero tu voz ya no es su voz tampoco.
La memoria de ella te rodea...
¡Su joven estatura, su alegría,
aquel ímpetu que me dio la vida!
Su palabra fue marcando mi camino.
Y aquella voz tan alta y vibradora
llega muerta dentro de tu voz.

¿Y tus cabellos...; dónde tus ojos?
¿Dónde el brillo de la luz que me alumbrara?
Están secos como frutos sin estío.
No los veo ni me guían ya tus ojos.
¿Estos son los pechos que yo tuve
en mis labios sin la voz con que los nombro?
¿Es el cuerpo que me hizo, esta traza
de carne ya dormida?...
¡Pesas poco, madre!
En mis duras piernas yo te mezo.
En mis brazos te recuesto como a hija.
Te responden maternales
las entrañas que me diste.

¡Cuánto dueles! Cual un parto
me desgarra tu vejez inesperada.
A tu lado hay una sombra de mi sangre...
El amor con que me hicisteis
aún resuena en mis arterias.

Fue tu tronco el más caliente a mi contacto.
Siempre anduve yo cubierta con tu apoyo.
La conciencia, la lealtad, la fortaleza
ante la vida son las tuyas.
¡Y ahora bienes como un niño ante mis ojos;
no sonríes ni esperas nada!

(De *Ansia de la Gracia.*)

POEMA

Una se va gastando, cada día, en la vida.
Todo lo deseó, a todo se fue acercando.
Vino desde el misterio sin saber qué traía,
y todo, aunque lo amó, lo ha ido abandonando.

Larga carrera ardiente, espeso vivir de fiebres.
Nadie perdona nunca el quedarse en la sombra.

Y una tiene que ir, como van las corrientes
por la tierra feraz: volviéndola más honda.

Se vive con lealtad, cada sangre recibe
un aluvión de impulsos, un grito de aventura.
Aquellos que se van, al amarnos exigen
que sea inextinguible la luz que irradia una.

¡Oh, pero el que vive por tantos que no viven
no puede persistir en un amor cerrado!
Está la inagotable pradera irresistible
del mundo del ensueño, eterno y renovado!

(De *En un mundo de fugitivos.*)

DECLARO QUE SE HA MUERTO
Y QUE SU TUMBA

Declaro que se ha muerto y que su tumba
está dentro de mí; soy su mortaja.
A nadie se enteró porque su tránsito
descanso fue de locas esperanzas.

Rodean el contorno de esta fosa
—caliente está la vid que escala muros—
los pámpanos más tiernos y jugosos
que arrancan del silencio su tumulto.

CUANDO ME VAYA DE AQUÍ

Cuando me vaya de aquí,
¡qué cansada de vida, qué repleta de vida
me enterrarán!
Ni siquiera una décima parte de Carmen alienta
lo que Carmen podría vivir.

21

Cuerpos y cuerpos, jardines,
cabelleras de olorosa hierba;
volcanes de tremenda voz.

Pero yo, limitada a lo mínimo.
Yo, atragantándome de mí.

(De *Humanas escrituras*, 1945-1966.)

Luis Felipe Vivanco

Nació en San Lorenzo de El Escorial, en 1907. Murió
en Madrid, en 1976. Ejerce la carrera de arquitecto en
Madrid. Ensayista y crítico de arte. Es premio Fastenrath
de la Academia Española.

Libros de poesía: *Cantos de primavera*, Madrid, Col.
Héroe, 1936; *Tiempo de dolor*, Madrid, Edic. Escorial, 1940;
Continuación de la vida, Madrid, Adonais, 1949; *El descam-*
pado, Palma de Mallorca, Col. Juan Ruiz, 1957; *Memoria*
de la Plata, Madrid, Adonais, 1958; *Lecciones para el hijo*,
Madrid, Aguilar, 1961; *Cancionero de Laredo*, Madrid,
1961; *Los caminos. 1945-1965*, Madrid, Cultura Hispánica,
1974; *Antología poética*, Madrid, Alianza, 1976; *Prosas*
propicias, Barcelona, Plaza Janés, 1977.

LA MIRADA DEL PERRO

De pronto, trabajando, comiendo, paseando, me en-
[cuentro
la mirada del perro.

Me interrumpe como dos hojas de árbol dentro de una
[herida,
como llanto infantil de alma que nunca ha sido pisada
[todavía
o esa vieja mujer que friega, en cambio, el suelo, de
[rodillas.
De no saber qué hacer resignada, y huidiza,
y suplicante —de no saber que permanece en su
[orilla—,
me deja interrumpido como pequeña iglesia románica
[en un pueblo

23

o esa peña y sus grietas a un lado del atajo mientras sigo
[subiendo.
(Me deja entre mis libros de elemental e ingreso,
naturalmente, estudiosamente unido a Dios en el
[tiempo
de la imaginación que aún mezcla sus leyendas de
[Bécquer con insectos.)
O me atraviesa con su temor de criatura confiada y su
[exceso
de alegría por mí (que soy un poco duro y no me la
[merezco).
La mirada del perro.

QUÉ BIEN SÉ LO QUE QUIERO

Qué bien sé lo que quiero: sólo un trozo —con rocas,
junto al río Voltoya— de la provincia de Ávila.
Sólo un trozo de monte de encinas y berruecos.
Sólo un monte con grandes encinas distanciadas
en sus faldas rocosas, amplias, largas y diáfanas,
muchos días seguidos, antes de entrar en Ávila
(por las calles prosaicas de las afueras, entre
madrugada y conventos de clarisas, bernardas,
carmelitas descalzas), con el alma descalza.

Sí, ese trozo (con rocas y encinas) me prepara
para la entrada en Ávila, me instala en su tardanza,
me sujeta a su mucha claridad de horizonte,
me quita de los ojos lo que todos prefieren,
me deja en equilibrio de piedra caballera
y en pujanza absoluta de azul sin importancia.
Es un trozo tan alto de fatigas, tan fino
y ocioso de matices, tan activo en suspenso
—a pesar de la sombra creciente del barranco—
que al llegar el crepúsculo no hacen falta campanas.
Es un sueño perpetuo de nieve o sol de agosto
y alegres margaritas de primavera escasa.
Es un trozo —y un solo pajarillo que canta—

con vegas del Adaja, y aun del Eresma, lejos,
y cerca una pequeña ciudad amurallada.
¡Qué bien sé lo que quiero!: quedarme entre sus rocas
y encinas, oponiéndome a todo lo que sea
merma o deformacióu política del alma.

(De *El descampado.*)

LOS GUARDAFRENOS

I

El sabor de los túneles
y la escarcha crujiendo
bajo los dedos rosas
del primer sol. Rebaños
agrupados, aun,
en la sombra. Cañadas,
vaharadas azules.

Niebla harapienta, yerba
mojada y agua rota.
La inacción y el ensueño
sin palabras, sin pasos
obligados: monótona
libertad soñolienta.

Algo, fuerza de un fuego,
se va llevando al cuerpo,
se va dejando el alma
como blanca humareda
que se disipa pronto
sobre lomas sin árboles.

La carne, los vagones
arrastrados, los rieles...
Pero también las curvas
sorprendidas del alma
porosa que se queda.

II

Soñar mientras se vive,
se trabaja.
            Quimeras
arañadas, a tientas,
sobre pardos tablones.

Tras el total fracaso,
todo el mundo es posible
como pobres paisajes
de más tierna belleza.
¡Tantos años futuros
en trance de alborada!

Los ojos, sin deseo
de alcanzar, casi místicos,
como una entrega de antes
de la vida. (Rebaños
agrupados, aún,
en la sombra).
                        Y las manos.

III

Arde un fuego. Una fuerza
de manos poderosas
y activas. De sensuales
placeres conseguidos
decentemente.
                        Pero
un amor, ya sin brazos,
se altiva en la garita,
y es inútil su intenso
vacío, sus distancias
redentoras. (Su yerba
mojada, su agua rota.)

Frías materias, cálidos
animales, viajan;

las terneras, el trigo,
los metales sonoros.
(Y el amor es un chopo
de invierno, una garita
rodeada en la noche
de calientes mugidos.)

IV

Son estrellas, sin pueblos
—bajas constelaciones—,
y un farol vacilando,
padeciendo a lo largo
de la vía.
                    Son luces
de estaciones aisladas,
y negros depoblados.
Son montañas frondosas
de oscuridad. Son puentes
de un fragor sin riberas,
ríos de agua imantada,
fantasmales taludes
erizados de piornos.

Va la carne hacia un brusco
final (tal vez un choque
que la estruje entre astillas).
Pero el alma se queda
porosa en las tinieblas.

V

Noche. Y alba. La aurora
no se atreve. Vagones
con el alba parada.
Mugidos con el alba parada.
Y sacos grises.

No se atreven los pájaros,
ni las tercas traviesas
del sueño.
                El alba, húneda.
(En la noche más larga,
más oscura, seremos,
Señor, tus guardafrenos.)

(De *Continuación de la vida.*)

Ángela Figuera

Nació en Bilbao en 1902. Ha trabajado como profesora de Instituto y traductora. Reside en Madrid.

Obras: *Mujer de barro*, Madrid, 1951; *Soria pura*, Madrid, 1951; *Los días duros*, Madrid, 1953; *Belleza cruel*, México, Cía. General de Ediciones, 1958; *Primera Antología*, Caracas, Lírica Hispana, 1961; *Toco la tierra*, Madrid, Adonais, 1962.

NIÑO-DIOS

Villancico para cantar cualquier día del año

Tenemos que ir a verle.
Él es un niño-dios.

Nació en la casa apuntalada.
(No es Navidad en las iglesias.)
Él es un niño-dios.

Su padre gana poco y bebe mucho.
(Las varas no florecen en su mano.)
Él es un niño-dios.

Su madre va por las esquinas.
(Jamás ha visto ningún ángel.)
Él es un niño-dios

No tiene cuna ni pesebre,
ni buey ni mula. (Sólo un gato.)
Él es un niño-dios.

No irán pastores a adorarle.
No habrá presentes de los Magos.
(Falta la estrella que los guíe.)
Él es un niño-dios.

Nació en la casa apuntalada,
es feo, triste y malpocado.
Pero tenemos que ir a verle;
besar sus pies desnudos
(acaso nos perdone nuestras culpas),
porque es un niño-dios.

SÍMBOLO

Llega una mano de oro luciendo un diamante
una mano de hierro gobernando unas riendas,
una mano de niebla donde canta una alondra:
yo las dejo pasar.

Llega una mano roja empuñando una espada,
llega una mano pálida llevando una amatista,
llega una mano blanca que ofrece una azucena:
yo las dejo pasar.

Llega una mano sucia que sujeta un arado:
la tomo entre las mías y nos vamos a arar.

(De *Toco la tierra.*)

ANTONIO MACHADO

I

Me fui con tu libro allí,
y luego no hacía falta:
todos tus versos, Antonio,
el Duero me los cantaba.

Siempre los canta.

II

Yo estaba quieta, contemplando el río,
el Duero, turbio y raudo
por las pasadas lluvias,
donde bogaban juncos desgajados...
Miraba, bajo un cielo desteñido,
el dulce cabeceo de los álamos,
los pinos rechinantes de chicharras,
las flores amarillas de los cardos
con un temblor de mariposas blancas.
En el sereno ambiente, un son lejano
de trémulas esquilas... Quedamente,
tu sombra vino y se sentó a mi lado.

(De *Soria pura.*)

Leopoldo Panero

Nació en Astorga en 1909. Murió en la misma ciudad en 1962. Fue Premio Nacional de Literatura y Premio Fastenrath.

Obras: *La estancia vacía*, Madrid, Edic. Escorial, 1944; *Escrito a cada instante*, Madrid, Col. La Encina y el Mar, 1949; *Canto personal* Madrid, Col. La Encina y el Mar, 1953; *Poesía*, Madrid, Cultura Hispánica, 1963.

HIJO MÍO

Desde mi vieja orilla, desde la fe que siento,
hacia la luz primera que torna el alma pura,
voy contigo, hijo mío, por el camino lento
de este amor que me crece como mansa locura.

Voy contigo, hijo mío, frenesí soñoliento
de mi carne, palabra de mi callada hondura,
música que alguien pulsa no sé donde, en el viento,
no sé dónde, hijo mío, desde mi orilla oscura.

Voy, me llevas, se torna crédula mi mirada,
me empujas levemente (ya casi siento el frío);
me invitas a la sombra que se hunde a mi pisada,

me arrastras de la mano... Y en tu ignorancia fío,
y a tu amor me abandono sin que me quede nada,
terriblemente solo, no sé dónde, hijo mío.

FLUIR DE ESPAÑA

Voy bebiendo en la luz, y desde dentro
de mi caliente amor, la tierra sola
que se entrega a mis pies como una ola
de cárdena hermosura. En mi alma entro;

hundo mis ojos hasta el vivo centro
de piedad que sin límites se inmola
lo mismo que una madre. Y tornasola
la sombra del planeta nuestro encuentro.

Tras el límpido mar la estepa crece,
y el pardo risco, y la corriente quieta
al fondo del barranco repentino

que para el corazón y lo ensombrece,
como gota del tiempo ya completa
que hacia Dios se desprende en su camino.

(De *Escrito a cada instante.*)

CÉSAR VALLEJO

¿De dónde, por qué camino había venido,
soplo de ceniza caliente,
indio manso hecho de raíces eternas
desafiando su soledad, hambriento de alma,
insomne de alma, hacia la inocencia imposible,
terrible y virgen como una cruz en la penumbra;
y había llegado hasta nosotros para gemir, había ve-
[nido
para gemir, aunque callaba tercamente en su corazón
[ilusorio,
agua trémula de humildad
y labios que han besado mucho de niño?

Callaban, llenas de miedo, sus palabras,
lo mismo que al abrir una puerta golpeando en la
[noche;

transparente, secretamente vivo en la tierra,
transido en las mejillas de palidez y de tempestad en los
[huesos;
y el eco cauteloso de sus plantas desnudas
era como la hierba cuando se corta;
y su frente de humo gris,
y sus mandíbulas dulcemente apretadas.

Indio bravo en rescoldo y golondrinas culminantes de
[tristeza,
había venido, había venido caminando,
había venido de ciudades hundidas y era su corazón
[como un friso de polvo,
y eran blancas sus manos todavía,
como llenas de muerte y espuma de mar;
y sus dientes ilesos como la nieve,
y sus ojos en sombra quemados y lejos,
y el triste brillo diminuto de su mirada infantil.

Y estaba siempre solo, aunque nosotros le quisiéramos,
ígneo, cetrino, doloroso como un aroma,
y estaba todavía como una madre en el rincón donde
[envejecen las lágrimas,
escuchando el ebrio galope de su raza y el balar de
[las ovejas recién paridas,
y el sonido de cuanto durmiendo vive
en el sitio de la libertad y el misterio.

¡Ay!, había venido sonriendo, resonando como un
[ataúd, hondamente,
descendiendo de las montañas, acostumbrado al últi-
[mo rocío,
y traía su paisaje nativo como una gota de espuma,
y el mar y las estrellas llegaban continuamente a su
[abundancia,
en un rincón de luz íntimamente puro.
Después hizo un viaje hacia otra isla,
andando sobre el agua, empujado por la brisa su es-
[píritu,

y un día me dijeron que había muerto,
que estaba lejos, muerto,
sin saber dónde, muerto,
sin llegar nunca, muerto,
en su humildad para siempre rendida, en su montón de
                                        [noble cansancio.

SONETO

Señor, el viejo tronco se desgaja,
el recio amor nacido poco a poco,
se rompe. El corazón, el pobre loco,
está llorando a solas, en voz baja,

del viejo tronco haciendo pobre caja
mortal. Señor, la encina en huesos toco
deshecha entre mis manos, y Te invoco
en la santa vejez que resquebraja

su noble fuerza. Cada rama, en nudo,
era hermandad de savia y todas juntas
daban sombra feliz, orillas buenas.

Señor, el hacha llama al tronco mudo,
golpe a golpe, y se llena de preguntas
el corazón del hombre donde suenas.

(De *La estancia vacía.*)

Luis Rosales

Nació en Granada en 1910. Fue secretario de la revista *Escorial*, y dirigió la revista *Cuadernos hispanoamericanos*. Es miembro de la Real Academia Española.

Obras: *Abril*, Madrid, Cruz y Raya, 1935; *Retablo sacro del Nacimiento del Señor*, Madrid, Ed. Escorial, 1940; *La casa encendida*, Madrid, Col. La Encina y el Mar, 1949; *Rimas*, Madrid, Col. La Encina y el Mar, 1951; *Segundo abril*, Zaragoza, Javalambre, 1972; *Canciones*, Madrid, Cultura Hispánica, 1973.

SONETO

Tu soledad, Abril, todo lo llena.
Colma de luz la espuma y la corriente.
Aurora niña con la piel reciente.
Todo en golpe de mar sobre la arena.

¿Qué sueño de varón te hizo serena
isla de fiebre la mirada ausente?
¡Ay, búscame sin ti, convaleciente,
revocando de cal fachada y pena!

Y ¡ay!, busca tú la sangre tierra adentro,
y olvidarás la voz por el encanto,
abierta a ti, mientras resbala el día.

Soledad sin abril será el encuentro,
y en tu ofrenda de paz, cierva de llanto
la sombra siempre y luz sin la luz mía.

(De *Abril*.)

LA CASA ENCENDIDA

(Fragmento)

Y puede ser que estemos todavía unos dentro de otros,
y puede ser que habitemos aquella casa de la infancia
donde el latido del corazón tenía las mismas letras que
                                        [la palabra hermano;
y Gerardo...
—ya sabéis que Gerardo quería llegar a ser como un
                                        [domingo cuando fuera mayor—,
y aquella casa estaba viva siempre,
estaba ardiendo siempre durante varios años de juego
                                        [indivisible, de cielo indivisible,
de cielo con su tiempo indivisible y circular que co-
                                        [mienza en mañana,
y «quién te cuida, Luis»,
y puede ser que aquella casa siga aún creciendo sin
y puede ser que todos nos reunamos en ella,   [paredes,
ardiendo aún dentro de aquella casa,
dentro de aquella infancia,
en donde al patio de la sangre le llamábamos Pepa,
y en la cual, si llegaba el cansancio, le llamábamos
                                        [noche todavía;
y «quién te cuida, Luis»,
                        y puede ser que yo sea niño,
                                «Pepa, Pepona, ven»,
y Pepona llegaba hacia nosotros con aquel alborozo
                                        [de negra en baño siempre,
con aquella alegría de madre con ventanas
que hablaban todas a la vez, para decirnos
que no hay tarde sin sol, ni luz que no caliente
las mieses y las manos,
                «pero, Pepa; Pepona, ¿dónde estás?»,
y estaba siempre
tan morena de grasa
que parecía como una lámpara
vestida con aquel buen aceite tan pálido de la confor-
y era tan perezosa,   [midad;

que sólo con sentarse
comenzaba a tener un gesto completamente inútil de
[pañuelo doblado,
de pañuelo de hierbas;
y vosotros recordaréis conmigo
que tenía un cuerpo grande y popular,
y una carne remisa y confluente
que le cambiaba de sitio acomodándose continuamen-
[te a su postura,
como cambian las focas, para poder andar, la forma
[de su cuerpo,
y vosotros sabéis todavía,
después de quieta siempre, era tan buena,
tan ingenua de leche confiada,
que muchas veces las avispas se le quedaban quietas
[en las manos,
y ahora está en una cama de carne de hospital
con el cuerpo en andrajos,
y vosotros sabéis, y Dios lo sabe, que se llamaba Pepa,
«pero, Pepona, ven, ¿cómo no vienes?»,
y vosotros sabéis
que todos los hermanos hemos vivido dentro de ella,
sin encontrar puerta de salida
durante muchos años,
que sus manos han sido las paredes de la primera casa
durante muchos años,   [que tuvimos
hasta que al fin la casa grande,
la casa de la infancia fue cayéndose,
la casa de hora única, con una estancia sola de juego
[indivisible,
de cielo indivisible,
se fue cayendo al fin, sobre nosotros, con la carne de
[Pepa,
se fue cayendo como ella, y agrietándose al fin,
la casa de la infancia,
y dejó de volar el abejorro silabeante que reunía entre
[sus alas nuestros labios,
y quedó sólo en pie la casa chica,

la casa que tenía
una luz inmediata de mármol en el patio,
la casa verdadera
—con salas y azulejos y penumbra de labio en el za-
                                                [guán‾,
en donde todos comenzamos a tener habitación indi-
y nombre propio,   [vidual
la casa que también comenzó con nosotros a enterrar
                                          a sus muertos,
la adolescencia triste y sin motivo,
la casa con cimiento,
donde se quema aún, donde se está quemando el alma
                                  [sin arder todavía.

(De *La casa encendida.*)

LO QUE NO SE RECUERDA

Para volver a ser dichoso, era
solamente preciso el puro acierto
de recordar... Buscábamos
dentro del corazón nuestro recuerdo.
Quizá no tiene historia la alegría.
Mirándonos adentro
callábamos los dos. Tus ojos eran
como un rebaño inquieto
que agrupa su temblor bajo la sombra
del álamo... El silencio
pudo más que el esfuerzo. Atardecía,
para siempre en el cielo
No pudimos volver a recordarlo.
La brisa era en el mar un niño ciego.

(De *Rimas.*)

DEL PASTOR CIEGO QUE ABRIÓ SUS OJOS
A NUEVA VIDA

Sentí decir ¡Belén! y un inseguro
empuje me arrastró; quedé un momento
sin poder respirar; pálido y lento
volví a palpar el muro y tras el muro

el roce de un testuz, súbito y duro,
me hizo pasmar; después sentí un violento
temblor de carne y labio, el movimiento
gozoso de la gente y un oscuro

miedo dulce a volver; seguí avanzando
y resbalé en la paja; ya caído
toqué el cuerpo de un niño, yo quería

pedirle ver y me encontré mirando
sintiéndome nacer, recién nacido,
junto al rostro de Dios que sonreía.

(De *Nuevo retablo de Navidad.*)

NO ERA MÁS QUE UN ESPANTO

Esta puerca miseria de volver a empezar cuando ya
                              [está todo acabado,
cuando ya la resignación tiene un sonido de campana
que suena rota, desprendida, llorando,
y su hueco metal disponible
se va llenando poco a poco, de un espanto pequeño,
de un espanto tan corto que no puede avanzar,
que no puede llenarte
como no te vacía una eyaculación
pero te deja emasculado y embebido;
y es tan sólo un espanto pequeño,
como un virus,

40

como una aguja que atravesara el ojo sin cegarlo,
como una lentitud
que se va haciendo
cada vez más pequeña,
más impoisibilitada
y más tenaz,
hasta que el corazón se hace un coágulo de sangre,
hasta que el corazón se tensa sin latir,
se tensa, hasta su límite, sin latir
para dejarte en su desván,
tan maniatado y tan escaso,
que empiezas a sentir que nada puede perdonarse.

(De *Canciones.*)

Dionisio Ridruejo

Nació en Burgo de Osma (Soria) en 1912. Fue corresponsal de prensa en el extranjero y profesor de literatura española en universidades norteamericanas. Murió en Madrid, en 1975.

Obras: *Plural*, Segovia, 1935; *Primer libro de amor*, Barcelona, Yunque, 1939; *Poesía en armas*, Madrid, Editora Nacional, 1940; *Fábula de la doncella y el río*, Madrid, Editora Nacional, 1943; *Sonetos a la piedra*, Madrid, Editora Nacional, 1943; *En la soledad del tiempo*, Barcelona, Montaner y Simón, 1944; *Elegías*, Madrid, Col. Adonais, 1948; *En once años* (Poesías completas de juventud), Madrid, Editora Nacional, 1950; *Hasta la fecha*, Madrid, Aguilar, 1960; *Cuaderno Catalán*, Madrid, Revista de Occidente, 1965.

ASALTO

Suave y firme tu mano

No tembló el corazón; era un instante
de calma y superficie
en tu voz como plata con arena
y en la húmeda pizarra de tus ojos.

Ha sido ahora, ausente,
cuando el tacto recuerda una caricia
y sangre adentro va tu aroma alzando
el oleaje y quema tu piel de oro.

Sufro extrañado en esta mano nueva
con su emoción de almendro,
que late y crea al recordar. La paso
por los objetos de costumbre: el hierro,
la madera, el cristal, la lana —tuyos—
y una descarga eléctrica de rosas
los hace carne viva.

(De Poesías al margen.)

EL BURGO DE OSMA

Como la nieve fluye y va sonora
de haber sido silencio, así mi olvido
de las cumbres del ser en que ha dormido
baja al tiempo natal y fluye ahora.

Ya esceleste el hollín en la herrería
y el chirriar de la rueda con estopa
del cordelero y riza la garlopa
una miel inmortal de todavía.

Vuelve la yunta de ganar el valle
con su lanza arrastrada y la campana
vuelve a pasar entre la luz y el puente.

Vuelve el mercado a empavesar la calle
con soportales. Vuelve todo y mana
el para siempre ayer eternamente.

(De Poesías al margen.)

SUBIDA A CADAQUÉS

Pasado el circo azul —festoneado
de medio sol y verdeante plana
con venillas de luz— tuerce el camino.

Subiendo se quebranta
y vierte hacia otro mundo.
Mundo de escoria y de metal sin nada,
recién quemado, donde el mar se atreve.
Y Cadaqués afuera, con pizarra
y olivo, hierro y plata, en las alturas
y plomo, abajo, líquido, con láminas
de platino, y con nieve de colina
que baja y se despliega a flor de agua.
Afuera y sin color en la tristeza
donde la sola carnación humana
es como el fuego, y sobra,
y un abismado sueño el mar estanca.

MONTSERRAT, 1946

Sobre el río de sangre
que aquí lleva cristal de poco abismo,
se dispara la tierra
fertilizada, como sube el chorro,
la catedral, la fantasía, el himno
de pueblo junto.

Con las desnudas canchas musicales
queda bajo el pinar. Muerde la cumbre,
diente por diente, un cielo serenado
que conoce la mar y no desgarra
el compacto dosel. Desde los llanos
internos del Vallés —enrojecidos
entre el verdor— la mole se repinta
de violeta o rosa y con la lluvia
sus torres desgravadas son inmóviles
trombas de mar, que elevan
lo que el hombre no sabe de sí mismo.

LOS OTROS

Son más oscuros, en los ojos
de niña grande hay mucha brasa,
los labios vueltos, la colilla
amarillenta y requemada.

Viven afuera, en los repechos
donde su lodo, astilla y lata,
huele a gallina y a ajo crudo,
sudor cansado, orín de cabra.

Bajan temprano a la caldera,
al telar, al andamio; pasan
con vaho de invierno aunque el despunte
del sol endulce la mañana.

Son los fósiles del mar viejo
que poco a poco alza montañas,
los que rellenan, mano a mano,
cuanto la historia luce y gasta.

Son más oscuros, son los otros,
los que distinguen o pare el alba
y el día mezcla y disimula
y, mineral, la noche apaga.

(De *Cuaderno catalán*.)

Victoriano Cremer

Nació en 1906 en Burgos. Trabajó algunos años como tipógrafo. Fundó y dirigió la revista leonesa *Espadaña*. Es Premio Boscán de poesía por su libro *Nuevos cantos de vida y esperanza.*

Obras: *Tacto sonoro*, León, 1944; *Caminos de mi sangre*, Madrid, Adonais, 1946; *La espada y la pared*, San Sebastián, Col. Norte, 1949; *Las horas perdidas*, Valladolid, Col. Halcón, 1949; *Nuevos cantos de vida y esperanza*, Barcelona, Instituto de Estudios Hispánicos, 1952; *Libro de Santiago*, León, 1954; *Furia y paloma*, Barcelona, Col. Fe de Vida, 1956; *Con la paz al hombro*, 1959; *Tiempo de soledad*, Orense, Col. Marina, 1962; *Poesía total*, Barcelona, Plaza Janés, 1967; *Lejos de esta lluvia tan amarga*, Sevilla, Col. Aldebarán, 1974; *Los cercos*, León, Col. Provincia, 1976.

ORACIÓN DE LA HUMILDAD

Al fin lo he conseguido: ya me tengo
como Tú me querías: casi nada
o casi todo; apenas barro
bien amasado en lágrimas.

Te doy gracias, Señor, porque me hiciste
de tan pequeñas cosas y a tan altas
rabias de corazón llegué entre dientes
de delumbrantes dentelladas.

Me diste soledad, hambre y tristeza,
los dones de Tu gracia,
y me obligaste a conocer cómo nos nacen
las raíces del alma.

Gracias, Señor, porque me echaste al confuso montón
y me diste sabor de pulpa amarga,   [de la pobreza,
densa como los sueños, retenida
de los huesos en la doliente caña.

Nada puedo pedir que no me dieras
sobradamente; nada
que no estuviera escrito; destinado
para completar en mí Tu semejanza.

Si el hombre es el tributo a Tu paciencia,
el soplo de Tu aliento, la esperanza
de Tu trabajo creador, cumplida
quedó en mi carne Tu palabra.

Hierros nacieron donde brotaron sangres
—dolor del hierro negro, del rabioso hierro que rompe
como un viejo perro golpeado—,   [y que desgarra
y, sobre las heridas, fue la brasa
y la sal en los labios.
                    ¡Y estoy vivo!
¡Y nadie de esta carga me descarga!...

Con todo ello me hiciste, poco a poco,
—que el hombre es una tarea larga—,
y Te sonrío
desde esta mi humildad recuperada...

Porque es así, Señor, como querías
que fuera: casi nada
o casi todo; apenas barro
bien amasado en lágrimas...

CON BELA BARTOK

Te tengo en el metal ardiente de la voz,
en la raíz gloriosa de la sangre,
en el fundido acero de la lengua.
Pero no puedo desclavar tu música

de la henchida madera navegante
que al corazón transporta en el silencio,
y proclamar tu nombre,
y llevarte
sobre el compás del mundo y su armonía.

A veces, te imagino como un sueño
hecho de arquitecturas y de gritos,
de sombrías florestas y banderas,
de montes y metales y violines,
creciendo en tierras negras.
Las raíces
levantadas al cielo.
                    Un cielo de hombres
de ojos verdes, de miradas
verdes,
de manos y de corazones verdes.

Y, de improviso, eres tan sólo hierro
sepultado en el agua;
hierro mordido, que su furia abate
al peso de los vientos submarinos;
o crujiente cristal estelar
en la boca amante,
en esa hora innumerable,
cuando los besos saben a la fría menta de las estrellas
y la mariposa nocturna
empavorecidamente se despoja
de su púrpura ardiente
entre timbres y luces de ácida espuma.

Pero el sueño te evidencia.
                    Eras
antes el increíble, mas de pronto eres
cierto y definitivo como un volcán.
Y, tal el fuego liberado, dejas
correr tu sangre; te desangras
para anegar en ella el sueño, para cubrirte

con tu propio oleaje y navegarte
por ti mismo, atormentado
de tu sabor, sitindiéndote
en las tierras que invades, en el grito
que endurecidamente rescatas del silencio,
en los violines, en los montes, en el hombre,
al que ciegas con tu sangre omnipotente.

Y, de pronto, el silencio.
                        Tu silencio
suspendido, en acecho;
tu silencio cruel de mediodía y soledad...
Enmudeces. Contienes el latido del mundo,
y tu mano, tu garra poderosa
recibe las henchidas, las violentas
venas azules, rojas o del color del cobre;
las potentes cuerdas
que hacen del hombre un árbol musical,
y las aprietas, cual si fueran
el dulce cuello de una muchacha,
hasta que el árbol tiembla, presagiando
la cólera del cielo.

Y, de súbito, cedes.

Y, así la red que apresa los pájaros cantores
se abre, y es todo un gozo de músicas y plumas,
tu mano, al derramarse,
aprieta, en el gran silencio del mundo conmovido,
una cárdena herida de armonías.

Nunca ya serás un sueño.
                      Aunque, a veces, cantes
como los niños cuando tienen miedo
con trémula voz y lágrimas, o dejes
sobre el cardo la miel y el roce leve,
o, simplemente, digas palabras sorprendentes.
Belleza, Amor o Libertad...
                      O te preguntes:

¿Dios existe...?
                    Y mires a lo alto.

Porque si Dios existe —tú lo sabes—
está sobre el acento de las constelaciones.

Y tú lo necesitas, para hacerle
música pura,
sin medida y sin tiempo.

                              (De *Tiempo de soledad.*)

MADRIGAL DE PAZ

Por esta paz, esposa, que te ofrezco,
ya madura en la sangre, hecha corteza
qué paciente tributo de tristeza
pagué día por día...
                              ¡No merezco
tanto dolor!

              (El hombre, entre las manos
a veces tiene un corazón y quiere
morir con él intacto. Pero muere
lleno de soledad.)

                      Ecos lejanos
traen mi voz antigua de metales;
mi fría voz de hielos transparentes.
¡Que hasta tu nombre, esposa, fue en mis dientes
tallo de amargas hieles minerales!...

Pero todo es ya campo sin orillas,
lleno de paz. El sol se transfigura
en la ceniza gris de esta clausura,
y abandona sus llamas amarillas.
Yo soy para ti, esposa, como un viento

50

que humildemente llega y se deshace
contra tus ojos; un agua que renace
entre sus piedras sin color ni acento.
No es posible dar más de lo que he dado
para llenar el pozo al que me asomo.
El pan que yo te traigo; el pan que como
tiene sabor de trigo macerado.
Trigo soy con sustancia. Pan en duelo
para el desconocido.
                              (El hombre quiere
gritar AMOR a veces, pero muere
en el silencio, en tanto el alto cielo
se llena de esta paz, esposa, de esta
consagración definitiva.)

                    —¡Toma
mi paz de sangre.
                         Goce mi paloma
del esp.endor caliente de su fiesta!...

                    (De *Furia y paloma.*)

José Antonio Muñoz Rojas

Nació en Antequera (Málaga) en 1909. Estudió en las Universidades de Madrid y Cambridge. Reside en Madrid.

Obras: *Versos de retorno*, Málaga, 1929; *Sonetos de amor por un autor indiferente*, Málaga, Col. Meridiano, 1942; *Abril del alma*, Madrid, Adonais, 1943; *Cantos a Rosa*, Madrid, Adonais, 1955; *Lugares del corazón*, Málaga, Cuadernos de María Cristina, 1962; *Salmo*, Málaga, Cuadernos de María Isabel, 1970.

SONETO

Gracias, Señor, por lumbre, por ribera,
por amoroso muro y por semilla,
por la mar que se postra y por la quilla,
por molino y besana, troje y era.

Por sangre, por mirada, por ladera
que la vid ennoblece y donde brilla
en tus piedras el sol, por faz sencilla,
y flor en zanja y mariposa en vera.

Por darme y por no darme, por tenerme
de tanto sueño el corazón colmado,
y de tanta esperanza de ternura

embebidos los huesos, por haberme
mis techos con tu paz tan bien cargado,
que gimen ya las vigas de ventura.

(De *Abril del alma.)*

LA MADRE

Y la madre soñaba oscuramente:
Será rubio, tendrá estos ojos mismos.
Le amarán las muchachas. Una tarde,
de pronto, llorará junto a una ros .

Le crecerá la angustia sin saberlo
y cada nuevo umbral será una herida.
Temblará al traspasarlos, hijo mío,
acaso una paloma, acaso nada.

El viento por la frente, las caídas
hojas que se acumulan, los rumores
del corazón callados. Nadie sabe
las formas repentinas de la dicha.

Yo lo siento aquí hondo en mis entrañas
el río de tus años que me deja
una nostalgia antigua, una dulzura
vieja en mi corazón como la sangre.

Me hace toda ribera, toda muro
donde lamen las aguas de tu vida.
Torno otra vez a ser niña jugando,
corriendo como niña entre las rosas.

¡Oh sueño en mis entrañas! ¡Oh alto río
resonando de siempre en mis entrañas!

(De *Cantos a Rosa.*)

Gabriel Celaya

Nació en Hernani (Guipúzcoa) el 18 de marzo de 1911. Estudió la carrera de ingeniero en Madrid. Residió bastantes años en San Sebastián, donde dirigió la colección de poesía «Norte». Reside en Madrid desde 1956. Es Premio de la Crítica, de poesía, por su libro *De claro en claro*.

Obras: *Movimientos elementales*, San Sebastián, Colección Norte, 1947; *Tranquilamente hablando*, San Sebastián, Col. Norte, 1947; *Objetos poéticos*, Valladolid, Col. Halcón, 1948; *Las cosas como son*, Santander, Col. La Isla de los Ratones, 1949; *Las cartas boca arriba*, Adonais, 1951; *Lo demás es silencio*, El Cucuyo, 1952; *Paz y Concierto*, Madrid, Col. El pájaro de paja, 1953; *Cantos iberos*, Alicante, Col. Verbo, 1955; *De claro en claro*, Madrid, Adonais, 1956; *Entreacto*, Madrid, Col. Ágora, 1957; *Cantata en Aleixandre*, Madrid-Palma de Mallorca, Col. Juan Ruiz, 1959; *Los poemas de Juan de Leceta*, Barcelona, Col. Colliure, 1961; *Poesía (1934-1961)*, Madrid, Ed. Giner, 1962; *Dos Cantatas*, Madrid, 1964; *La linterna sorda*, Barcelona, 1964; *Baladas y decires vascos*, 1965; *Lo que faltaba*, Barcelona, El Bardo, 1967; *Canto en lo mío*, 1968; *Lírica de cámara*, 1969; *El derecho y el revés*, Barcelona, Ocnos, 1973; *Itinerario poético*, Madrid, Cátedra, 1974.

FIN DE SEMANA EN EL CAMPO

A los treinta y cinco años de mi vida,
tan largos, tan cargados, y, a fin de cuentas, vanos,
considero el empuje que llevo ya gastado,
la nada de mi vida, el asco de mí mismo,
que me lleva a volcarme suciamente hacia afuera,
negociar, cotizar mi trabajo y mi rabia,
ser cosa entre las cosas que choca dura y hiere.
que yo soy un error y el mundo es siempre hermoso,
Considero mis años,
considero este mar que aquí brilla tranquilo,
los árboles que aquí dulcemente se mecen,
el aire que aquí tiembla, las flores que aquí huelen,
este «aquí» que es real y a la vez es remoto,
este «aquí» y «ahora mismo» que me dice inflexible
que yo soy un error y el mundo es siempre hermoso,
hermoso, sólo hermoso, tranquilo y bueno, hermoso.

(De *Tranquilamente hablando.*)

LA CLARA SOLEDAD

Suenan en aire y en sombra
los árboles, el mar, la tierra ciega;
suena lo no nombrado,
suena, tiembla.

Suena la sangre buscando
caminos hondos al cuerpo,
suena y busca una palabra
con que nombrar un deseo.

¡Oh estar solo, ser por fin
la soledad que se basta,
hombre con límites fijos,
con palabras y no gritos!

Frente a ese mundo impalpable
de aire y luz, alzo mi cuerpo,
fenómeno que me muestra
hecho visible el mistèrio.

¡Oh estar solo, solo y vivo
entre el iris de los cambios,
la avidez del aire, el mar
y la noche de ese canto!

Fuera suena, suena el mundo
y es lo total indistinto,
suena como un corazón
que se ignorara a sí mismo.

(De *Objetos poéticos.*)

ESPAÑA EN MARCHA

Nosotros somos quien somos.
¡Basta de historia y de cuentos!
¡Allá los muertos! Que entierren como Dios manda
[a sus muertos.
Ni vivimos del pasado,
ni damos cuerda al recuerdo.
Somos, turbia y fresca, un agua que atropella sus co-
[mienzos.
Somos el ser que se crece.
Somos un río derecho.
Somos el golpe temible de un corazón no resuelto.

Somos bárbaros, sencillos.
Somos a muerte lo ibero
que aún nunca logró mostrarse puro, entero y verda-
[dero.
De cuanto fue nos nutrimos,
transformándonos crecemos
y así somos quienes somos golpe a golpe y muerto
[a muerto.

56

¡A la calle! que ya es hora
de pasearnos a cuerpo
y mostrar que, pues vivimos, anunciamos algo nuevo.

No reniego de mi origen
pero digo que seremos
mucho más que lo sabido, los factores de un comienzo.

Españoles con futuro
y españoles que, por serlo,
aunque encarnan lo pasado no pueden darlo por
[bueno.
Recuerdo nuestros errores
con mala saña y buen viento.
Ira y luz, padre de España, vuelvo a arrancarte del
[sueño.
Vuelvo a decirte quién eres.
Vuelvo a pensarte, suspenso.
Vuelvo a luchar como importa y a empezar por lo que
[empiezo.
No quiero justificarte
como haría un leguleyo.
Quisiera ser un poeta y escribir tu primer verso.

España mía, combate
que atormentas mis adentros,
para salvarme y salvarte, con amor te deletreo.

(De *Cantos iberos.*)

SHIRIMIRI

Llueve y llueve.
¡Qué delicia sentirse en lo fluyente,
ser un hombre corriente—

Llueve: Fiel definición
de lo que empieza y no acaba,
divinamente sin yo.

Llueve y llueve, y llueve. Llueve,
llueve con constancia, ¡amor
de lo que siempre vuelve!

Llueve largo. Llueve lento.
Llueve muy, muy despacito.
¿Será Dios el que se anuncia?, ¡ay, tan lejos!

Llueve y llueve. Nada pasa.
Es decir, pasa la nada.
Llueve tan, tan de verdad, que se descansa.

Llueve sin más. Llueve tonto.
¡Mal tiempo!, dice la gente que vino a veranear.
¡Ay qué buen tiempo sin tiempo!, digo yo.

Con boina y con gabardina,
recorro el Paseo Nuevo,
vivo en lo gris y respiro. ¡Qué bien huele el mar abierto!

Mojado, llego hasta el Puerto
y me meto por Lo Viejo.
¡Cómo me sabe el buen vino de los cálidos pellejos!

Llueve y llueve. ¡Que se vayan
los hambrientos de una luz que al recortar fija y mata!
En mi país, todo es magia.

(De *Baladas y decires vascos.)*

PESE A TODO

Andando, según se anda,
yo tropiezo.
Pero si me paro y pienso,
¡cuántos pájaros me envuelven con sus alas!

Hay que seguir, pensamiento,
vida y vuelo.
Hay que crear esa vida
que ahora nos parece un cuento.

Andando, según se anda,
yo me invento:
Y ante el inmenso silencio,
hago real lo que creo.

Ante el no sé qué suspenso,
me quedo quieto;
ante el mundo sin respuesta,
soy la pura violencia.

(De *Lo que faltaba.)*

Ramón de Garciasol

Nació en Guadalajara el 29 de septiembre de 1913. Estudió en la Universidad de Madrid. Ha obtenido, entre otros premios, el «Escálamo» de Poesía, el «Henríquez Ureña» y el «Fastenrath» de la Academia Española, estos dos últimos por su libro *Lección de Rubén Darío*.

Obras: *Defensa del hombre*, Madrid, Adonais, 1950; *Canciones*, Col. Neblí, 1952; *Palabras mayores*, Alicante, Col. Ifach, 1952; *Tierras de España*, Madrid, Adonais, 1955; *Del amor de cada día*, Santander, Col. Cantalapiedra, 1956; *La madre*, Madrid, Espasa-Calpe, 1958; *Poemas de andar España*, Madrid, Col. Palabra y Tiempo, 1962. *Herido ver*, Las Palmas de Gran Canaria, Col. Tagoro, 1965; *Antología provisional*, Madrid, Aguilar, 1967; *Del amor y del camino*, Madrid, Cultura Hispánica, 1970; *Atila*, Col. Álamo, Salamanca, 1973; *Poemas testamentarios*, Col. Provincia León, 1973; *Los que viven por sus manos*, Col. Fuendetodos, Ed. Javalambre, Zaragoza, 1970; *Libro de Tobías*, Madrid, Col. Arbolé, 1976; *Decido vivir*, Zaragoza, Col. Puyal, 1976.

ÁVILA DEL SILENCIO

Silencio: Cálame hasta las raíces,
lava mi carne, mi sudor de muerte,
la caspa cotidiana. Quiero verte,
Señor, en paz, por lo que me dices

sin esta feroz lucha banderiza,
apagada la llama, pura piedra

de eternidad sin fin, pared de hiedra
sin la sal del dolor y la ceniza.

Silencio: Llueve más. La tierra dura
está sedienta en los terrones. Cala
mis huesos más allá. La sepultura

está lejos aún. Apenas puedo
con mi cansancio de reptil. El ala,
Señor, aguarda el signo de tu dedo.

(De *Poemas de andar España.*)

LA LUZ

Pupilas de Ruidera, luz manchega,
arracimada flor, última criba,
piedra preciosa, idea o agua viva.
La marea de luz creciente anega

los residuos de sombra. Cobra hondura
decisiva la forma de las cosas.
Pesa luz en los hombros, pesan rosas,
aves de paz luciente en la llanura,

honda poza de luz del océano
que hace Dios de la Mancha si la mira
o la acaricia el rostro con la mano.

La luz ciñe las formas y proclama
el ser, sin confusión. De luz suspira
un pájaro. De luz el campo brama.

(De *Tierras de España.*)

CANCIONCILLA DEL MURO

Sé que no sé. Poca ciencia
y buen punto de partida.
Pero hay que morir. Paciencia.
Veremos en otra vida,

si es que vemos, el secreto
de tantas oscuridades.
(¡Cómo tiembla el esqueleto
por estas ultimidades!)

Tus reservas y retracas,
tu varonada ternura,
tus perdidas Slamancas,
esta borrosa figura

que devuelve niebla a niebla,
el principio que se acaba,
el orden que se despuebla.
(Se acabó lo que se daba.)

¡Ay, mi sabio de ignorancias
armado de palabrota!
¡Ay, flor de las arrogancias!
Ya te has ido, gota a gota

a la mar, porque se diga
en castellano decente.
que otro venga y lo prosiga,
si es valiente,

hasta que se quede oscuro,
como yo, de tiempo y pena,
ay, muro de España, muro
donde he cumplido condena

y esperanza, Calderón,
delito de haber nacido,
ya sagrado paredón
con mi sangre florecido.

PERDÓN POR EL VERSO

Perdonadnos por escribir versos,
los nuestros y los vuestros.
Porque para que seáis personas de respeto
nosotros auscultamos el viento.
Os dejamos la compasión y el dinero
y nos quedamos en cueros,
más que desnudos en el verbo.
Y decimos que no hubiéramos querido ser esto
sin creerlo,
para no ofender a lo brillante mostrenco,
para que nos dejen por imposible, con desprecio.
Porque si lo entendiesen nos cortarían el cuello
y la lengua de fuego,
dirían que somos blasfemos.
Y nos devanamos los sesos,
y nos gustaría estar muertos,
no regresar de los cielos
o de los infiernos
para que nos perdonasen los versos.
(En verdad de verdad, cuando queremos.)
Afortunadamente, no los tomáis en serio,
metidos en un ajetreo
animal. Os ponen ante el espejo
y os dicen: «Esto
es lo que han hecho
de ti; desdichado instrumento,
humano cementerio
de tu destino angélico.»

En un lenguage ingenuo
y tremendo
que parece juego,
alguien está diciendo
lo rigurosamente cierto,
las palabras que no borrarán tiempos,
que cualquier día alumbrarán secretos
extremos
pegados a la carne en silencio.

(De *Poemas testamentarios.)*

Concha Zardoya

Nació en Valparaíso (Chile) en 1914, hija de españoles, y a los diecisiete años se trasladó a España. Estudió Filosofía y Letras en la Universidad de Madrid. Desde 1948 vive en los Estados Unidos como profesora en la Universidad de Illinois, primero, y desde hace años, en la de Boston. Obtuvo el Premio Boscán de poesía de 1955.

Obras: *Pájaros del Nuevo Mundo*, Madrid, Adonais, 1945; *Dominio del llanto*, Adonais, 1948; *La hermosura sencilla*, Nueva York, 1953; *Los signos*, Alicante, Col. Ifach, 1955; *El desterrado ensueño*, Nueva York, 1955; *Mirar al cielo es tu condena*, Madrid, Ínsula, 1957; *La casa deshabitada*, Madrid, Ínsula, 1959; *Debajo de la luz*, Barcelona, Instituto de Estudios Hispánicos, 1959; *Elegías*, Caracas, Lírica Hispana, 1961; *Corral de vivos y muertos*, Losada, Buenos Aires, 1965; *Donde el tiempo resbala* (1966); *Hondo sur*, Madrid, El Bardo, 1968.

DESCIENDE MI MEMORIA DE LAS SIERRAS (MADRID)

Desciende mi memoria de las sierras.
Entre los pinos ya te voy buscando.
Avanzo por el llano hacia ese trono
que te sostiene a ti y a toda España.

Tu perfil aparece ante mis ojos,
casi en llanto mirando tu costado,
porque mi amor por ti —¡de lejos vengo!—
teme que seas tú de nuevo un sueño.

¡Estar en ti, Madrid, como un guijarro!
¡Volver a tu regazo, ser la hierba
que pisarán los niños en las plazas!
¡Oh, ser un gorrión, el más pequeño!

¡Andar sin nombre yo para besarte
con tal ansia secreta en cada puerta!
¡Suba mi anhelo ya a los tejados,
a esas buhardillas de palomas!

¡Rodar, rodar cual hoja por tus calles,
besándote, besándote, besándote!
¡Y vuelva a ver el Prado con sus luces,
oh, gris-dorado colmo de hermosura!

Tu señorío es aire que rodea
los barrios más antiguos, los recientes.
El cielo como gema en ti refulge,
siendo joya de Dios y de ti misma.

¡Nombrar, nombrar las calles con delicia!
¡Reconocer esquinas y ventanas!
¡Andar, andar por ti como una amante
o enamorada sombra de otros días!

¡Como llovizna yo o como brisa
penetre tus resquicios, siendo aliento
del vivo corazón que te da vida!
¡Sea respiro yo de tu gran alma!

Si no brisa, papel, algo pequeño
que flote, vaya y vuelva sin ser visto,
pues quiero errar por ti e incorporarme
al polvo de tu historia y de tu suerte.

¡Tenga mirada aún sensibilísima,
que indague, que trascienda, que recoja
tus gestos de dolor y de alegría,
esa mágica luz que te da gracia!

¡Y guijarro, papel, un gorrioncillo,
hoja de un árbol gris o pura brisa,
more por siempre en ti, hasta que quiera
Dios llevarte, ciudad, de nuestra España!

(De El desterrado ensueño.)

ERA UN DÍA DE SOL

Era un día de sol. La playa, blanca.
Las aguas del Caribe, gris acero.
Tu nombre azul grabé y se doraba
en la arena desnuda como un cuerpo.

Mis ojos en la luz ni naufragaban,
salvador por las nubes y aquel viento
que oreaba sus costas, islas claras
erguidas a más luz y más silencio.

Con el nombre, tu rostro se bañaba
en plenitud solar y, desde dentro,
me traslucía amor y se doraba...
Como estatua de sal brillaba el sueño.

Lentamente, las olas te borraban,
desgrababan tu nombre, oscureciendo
entresoñados iris, sienes altas,
el surco de tus labios, tu recuerdo...

(Biloxi, Mississippi.)

(De Hondo sur.)

Juan Ruiz Peña

Nació en Jerez de la Frontera en 1915. Es catedrático de Literatura en un Instituto Nacional de Enseñanza Media en Salamanca. En 1949 obtuvo un accésit del Premio Adonais de poesía por su libro *Vida del poeta*.

Obras: *Canto de los dos*, Cádiz, 1940; *Libro de los recuerdos*, Madrid, Adonais, 1946; *Vida del poeta*, Madrid, Adonais, 1950; *La vida misma*, Madrid, Ínsula, 1956; *Andaluz solo*, Madrid, Ínsula, 1962; *Nudo*, Salamanca, Col. Álamo, 1966; *Maduro para el sueño*, Col. Álamo, Salamanca, 1970.

ANDALUCÍA

Vieja tierra del Sur
salpicada de olivos de color ceniciento,
con torcidas callejas
de cal o plazas donde trasmina su embeleso
el florido jazmín,
tierra de viñas con racimos como el sueño
dorado de algún dios,
bodegas en que esconde su ambarino secreto
un vino secular.
Allí beber es rito, un divino deseo.
Llanos campos de sol
cruzados por manadas de bravos toros negros
que hostigan caballistas
entre nubes de polvo y sonar de cencerros,
pitones y garrochas,
la testuz contra el palo lidiando en feroz duelo.
Luciente soledad

donde un zagal adviene en el toreo diestro,
y ensaya una verónica,
o da un lance ceñido, templando bien, muy lento,
qué gracia en el capote,
con qué delicadeza se forja allá un torero.
Azulada alegría
es aquel mar, océano de luz, cálido viento
por la playa arenosa,
y veleros de plata sobre un azul de fuego,
ríen los pescadores
y echan al mar las redes con ademán risueño,
saltan los boquerones
plateados, los peces relampaguean frescos,
el marisco sabroso
de coral irisado, calamar de humor negro.
Brillan los miradores
y blancas azoteas de las casas del puerto.
Tierra del Sur, te dicen
perezosa, y te afanas duramente en silencio,
te llaman charladora,
y en tus hombres callados la pena va por dentro.
Dejas la vida pase
sin sentir, desdeñosa de lo fugaz del tiempo,
razas y siglos vuelan,
efímero es el hombre y su dolor eterno,
y el hambre y la pobreza
y lágrimas de sangre que va tragando el pueblo.
Cantando te redimes,
para poco decir, qué profundo lamento.

(De *Andaluz sólo.*)

NOCTURNO DE VERANO

Oh amor, ¿te das entero esta noche de julio?
Derrama el ruiseñor su música. La brisa,
leve rumor. El agua suspira entre las ramas.
La luna, blanca y trémula, nimba tu rostro. Deja,
apoya la cabeza sobre mi corazón.

Tus cabellos castaños, aroma de jazmín
que trasmina el sosiego de esta cálida noche.
Ciño tu talle, hablo, soplo o susurro ardiente:
«Bésame. Sórbeme. Sé brasa por mis venas.»
Soy llama, lumbre, viva claridad de tus ojos,
oh, estrellas brilladoras, faro de mi destino.
Mío es tu cuerpo, mío para toda la vida.

(De *La vida misma.*)

EL ALMA ESTÁ EN LA MATERIA

El alma está en la materia
como la sangre en las manos,
domingo, sol, la ventana,
los visillos del despacho
y la claridad de abril
poniendo un nimbo azulado
sobre las cosas, sentimos
sus almas dentro y vibramos
profundamente, el amor
descubre el latido humano
de la madera, del cuero,
del vidrio del calendario
o burgalés cofrecillo
en que se cifra el pasado,
nada de sueños, verdad,
el camino de los álamos
y con el norte de cara,
el viento barría el páramo
sonoro de carrascales,
y crujir de escarcha y barro
mientras rasgaba a una nube
un azor, negro relámpago,
luego sentado en las piedras
el hombre hallaba descanso
y nunca fue más feliz
que en el silencio olvidado.

COMO LA HIERBA SOMOS

Como la hierba somos,
fulgor de un sol de abril, resplandor que se aleja
blanco y frío en la tarde,
y nubes e ilusión del color de estas piedras
por los siglos roídas,
muro antiguo con musgo recubriendo las tejas
rojizas y con olmos
de frondoso verdor y con música nueva,
huellas de pies anónimos
como firmas de polvo escritas en la acera,
fugaz tránsito humano
por la calle de siempre, por la misma taberna,
y eslabón de un deseo
de vivir libremente una limpia conciencia.

(De *Maduro para el sueño.*)

José García Nieto

Nació en Oviedo en 1914. Vive en Madrid desde los quince años. Ha obtenido numerosos premios literarios, entre ellos el Nacional de Literatura «Garcilaso», Fastenrath de la Real Academia Española, el Nacional de Literatura «José Antonio», etc. Ha dirigido las revistas de poesía *Garcilaso* y *Acanto* y dirige actualmente *Poesía española*.

Obras: *Víspera hacia ti*, Madrid, 1940; *Poesía* (1940-43), Madrid, 1944; *Del campo y soledad*, Madrid, Adonais, 1946; *Tregua*, Madrid, 1951; *La red*, Madrid, Agora, 1955; *El parque pequeño y elegía en Covaleda*, Madrid, Punta Europa, 1959; *Geografía es amor*, Madrid, Col. Palabra y Tiempo, 1961; *La hora undécima*, Madrid, Col. Palabra y Tiempo, 1963; *Memorias y compromisos*, Madrid, Editora Nacional, 1966; *Hablando solo*, Madrid, Cultura Hispánica, 1968; *Los tres poemas mayores*, Col. Arbolé, Madrid, 1970; *Taller de arte menor y cincuenta sonetos*, Madrid, Doncel, 1973.

GRACIAS, SEÑOR...

Gracias, Señor, porque estás
todavía en mi palabra;
porque debajo de todos
mis puentes pasan tus aguas.

Piedra te doy, labios duros,
pobre tierra acumulada,
que tus luminosas lenguas
incesantemente aclaran.

Te miro; me miro. Hablo;
te oigo. Busco; me aguardas.
Me vas gastando, gastando.
Con tanto amor me adelgazas
que no siento que a la muerte
me acercas...
   Y sueño...
      Y pasas...

      (De *Tregua.*)

TOLEDO, LA ENCARCELADA

Con los ojos cegados de oro
y los pies escondidos en agua,
el balcón, con el sol de la tarde,
sin querer, sin hablar, se asomaba.

La cigüeña, qué quieta en la torre,
y, en lo rojo del monte, las águilas
qué despacio cruzaban el aire...
La ciudad, desde lejos miraba.

No podía salvar tanto puente,
tanto paso de muerte, entre tanta
noche fría por los cigarrales
donde un día cantó la cigarra.

Sólo el río podía, gozando
los más claros dominios del agua,
perseguir lentamente la rosa
de la madrugada.

    (De *Geografía es amor.*)

UNA RENDIJA TODAVÍA

La luz —quiero decir, la claridad... bien poca—
no abandona a sus enconados súbditos,
los hombres.
Abre sólo una hoja de la puerta de la armonía,

convoca a los prados ocasionales,
a algunas nieves que vuelven —incluso en el estío—,
hace sonar objetos que eran nuestros
o que pasan
calladamente como entonces.
Se puede abrir un poco e invitar nuevamente
a los pájaros que os conocen.
Podéis quitar la semilla del alféizar,
para que florezca su vacío.
Hará todo la luz —la claridad, decía...
bien poca, pero cierta—.
Morir puede ser cómodo ahora —aunque triste—
cuando no se piensa demasiado en las granadas
de la piel,
cuando no asisten personas de nombre conocido
a la derrota,
ahora que no tenemos cerca
el pecho de otro ser que respira y consiente.
Una rendija espera, crea,
juega, oficia, barrunta,
y se descompone al fin, dejándonos en el más delicado
                       [de los autorizados cementerios.

INSOMNIO

Y ahora volverse un poco del otro lado,
y nada.
A ver si viene el sueño,
como diciendo: «A ver si vienes, muerte».
Y, desvelado, como nunca, permanecer
con el agua
hasta el cuello.
O «aquí me las den todas»...
(¿Y si me las dan todas?)
Hay golpes que se acercan por la contigua habitación,
   y luego se desvanecen, antes de entrar del todo y de
   nombrarse.

Pero el silencio nunca se acostumbra
a ser silencio siempre.
Y se cierran los ojos
para no ver cómo llegan
en la completa oscuridad
los estremecedores
heraldos.

(De *Taller de arte menor* y *Cincuenta sonetos*.)

Blas de Otero

Nació en Bilbao en 1916. Hizo el Bachillerato en Madrid, y cursó la carrera de Derecho, que no ejerce. Reside habitualmente en Madrid. Es Premio Boscán de poesía y Premio Fastenrath.

Obras: *Ángel fieramente humano*, Madrid, Ínsula, 1950; *Redoble de conciencia*, Barcelona, Instituto de Estudios Hispánicos, 1951; *Pido paz y la palabra*, Santander, Col. Cantalapiedra, 1955; *Ancia*, Barcelona, 1958; *Hacia la inmensa mayoría*, Buenos Aires, Losada, 1962; *Esto no es un libro*, Universidad de Puerto Rico, 1963; *Que trata de España*, París, Ruedo Ibérico, 1964; *Expresión y reunión*, Madrid, Alfaguara, 1969; *Mientras*, Zaragoza, Fuendetodos, 1970; *Historias fingidas y verdaderas*, Madrid, Alfaguara, 1970; *Verso y prosa*, Madrid, Cátedra, 1974; *Poesía con nombres*, Madrid, Alianza-Alfaguara, 1977; *Todos mis sonetos*, Madrid, Turner, 1977.

LA TIERRA

De tierra y mar, de fuego y sombra pura,
esta rosa redonda, reclinada
en el espacio, rosa volteada
por las manos de Dios, ¡cómo procura

sostenernos en pie y en hermosura
de cielo abierto, oh inmortalizada
luz de la muerte hiriendo nuestra nada!
La Tierra: girasol; poma madura.

Pero viene un mal viento, un golpe frío
de las manos de Dios, y nos derriba.
Y el hombre, que era un árbol, ya es un río.

Un río echado, sin rumor, vacío,
mientras la tierra sigue a la deriva,
¡oh Capitán, mi Capitán, Dios mío!

(De *Ángel fieramente humano.*)

A LA INMENSA MAYORÍA

Aquí tenéis, en canto y alma, al hombre
aquel que amó, vivió, murió por dentro
y un buen día bajó a la calle: entonces
comprendió: y rompió todos sus versos.

Así es, así fue. Salió una noche
echando espuma por los ojos, ebrio
de amor, huyendo sin saber adónde:
adonde el aire no apestase a muerto.

Tiendas de paz, brizados pabellones,
eran sus brazos, como llama al viento;
olas de sangre contra el pecho, enormes
olas de odio, ved, por todo el cuerpo.

¡Aquí! ¡Llegad! ¡Ay! Ángeles atroces
en vuelo horizontal cruzan el cielo;
horribles peces de metal recorren
las espaldas del mar, de puerto a puerto.

Yo doy todos mis versos por un hombre
en paz. Aquí tenéis, en carne y hueso,
mi última voluntad. Bilbao, a once
de abril, cincuenta y tantos.

Blas de Otero.
(De *Pido la paz y la palabra.*)

POR VENIR

Madre y madrastra mía,
España miserable
y hermosa. Si repaso
con los ojos tu ayer, salta la sangre
fratricida, el desdén
idiota ante la ciencia,
el progreso.
                    Silencio,
laderas de la sierra
Aitana,
rumor del Duero rodeándome,
márgenes lentas del Carrión,
bella y doliente patria,
mis años
por ti fueron quemándose, mi incierta
adolescencia, mi grave juventud,
la madurez andante de mis horas,
toda
mi vida o muerte en ti fue derramada
a fin de que tus días
por venir
rasguen la sombra que abatió tu rostro.

(De *Esto no es un libro.*)

AIRE LIBRE

Si algo me gusta, es vivir.
Ver mi cuerpo en la calle,
hablar contigo como un camarada,
mirar escaparates
y, sobre todo, sonreír de lejos
a los árboles...

También me gustan los camiones grises
y muchísimo más los elefantes.

Besar tus pechos,
echarme en tu regazo y despeinarte,
tragar agua de mar como cerveza
amarga, espumeante.

Todo lo que sea salir
de casa, estornudar de tarde en tarde,
escupir contra el cielo de los tundras
y las medallas de los similares,
salir
de esta espaciosa y triste cárcel,
aligerar los ríos y los soles,
salir, salir al aire libre, al aire.

(De *En castellano*.)

CAMPO DE AMOR

(Canción)

Si me muero, que sepan que he vivido
luchando por la vida y por la paz.
Apenas he podido con la pluma,
apláudanme el cantar.

Si me muero, será porque he nacido
para pasar el tiempo a los de atrás.
Confío que entre todos dejaremos
al hombre en su lugar.

Si me muero, ya sé que no veré
naranjas de la china, ni el trigal.
He levantado el rastro, esto me basta.
Otros ahecharán.

Si me muero, que no me mueran antes
de abriros el balcón de par en par.
Un niño, acaso un niño, está mirándome
el pecho de cristal.

CANCIÓN CINCO

Por los puentes de Zamora,
sola y lenta, iba mi alma.

No por el puente de hierro,
el de piedra es el que amaba.

A ratos miraba al cielo,
a ratos miraba al agua.

Por los puentes de Zamora,
lenta y sola, iba mi alma.

NO TE ADUERMAS

Las dos de la mañana.
Canta
un gallo, otro gallo
contesta.
        El campo
de mi patria reposa
bajo la media luna.
Oh derramada España,
rota guitarra vieja,
levanta
los párpados
(canta
un gallo) que viene,
llena de vida,
la madrugada.

(De *Que trata de España*.)

CANTATA DE AMIGO

¿Dónde está Blas de Otero? Está dentro del sueño, con
[los ojos abiertos.
¿Dónde está Blas de Otero? Está en medio del viento,
[con los ojos abiertos.
¿Dónde está Blas de Otero? Está cerca del miedo, con
[los ojos abiertos.
¿Dónde está Blas de Otero? Está rodeado de fuego,
[con los ojos abiertos.
¿Dónde está Blas de Otero? Está en el fondo del mar,
[con los ojos abiertos.
¿Dónde está Blas de Otero? Está con los estudiantes
[y obreros con los ojos abiertos.
¿Dónde está Blas de Otero? Está en la bahía de Cien-
[fuegos, con los ojos abiertos.
¿Dónde está Blas de Otero? Está en Vietnam del Sur,
[invisible entre los guerrilleros.
¿Dónde está Blas de Otero? Está echado en su lecho,
[con los ojos abiertos.
¿Dónde está Blas de Otero? Está muerto, con los ojos
[abiertos.

(De *Hojas de Madrid.*)

Ricardo Molina

Nació en Puente Genil (Córdoba) en 1917. Murió en Córdoba en 1969. Dirigió la revista de poesía *Cántico*, y fue profesor de Enseñanza Media en Córdoba. En 1947 obtuvo el Premio Adonais, con su libro *Corimbo*.

Obras: *Elegías de Sandua*, Madrid, Adonais, 1948; *Corimbo*, Madrid, Adonais, 1949; *Elegía de Medina Azahara*, Madrid, Ágora, 1957; *A la luz de cada día*, Málaga, El Guadalhorce, 1967; *Poesía*, Madrid, Visor, 1973; *Dos libros inéditos (Regalo de amante. Cancionero)*, Madrid, Col. Dulcinea, 1975; *Antología 1945-1967*, Barcelona, Plaza Janés, 1976.

VIDA CALLADA

De la vida callada de las plantas
aprendo olvido. Al cielo
alza el almezo sus ramas gimientes
de ruiseñores.
Me detengo un instante. La memoria
se adormece a su sombra. De mi vida
pasada nada quiero, vana imagen
que huye como el agua.

En la tarde otras tardes profundizan
esta hora. El sosiego que me invade
no altera mi tristeza.
Acaso la eterniza. ¿Todo muere?
¿Morirá mi dolor? Toda mi vida
se me aparece ahora como un ansia
frustrada de hermosura.
                    Claro almezo,
eleva entre tus ramas plañideras
mi corazón callado hasta la luna.

EL VERANO

El verano feliz se quedaba en el patio,
entre rosales, lento,
adormeciendo el alma en grato olvido,
creándose en un viejo rincón plácido reino.

La tarde ardiente de final de agosto
se rendía entre flores.
Lánguida mano acariciaba en sueños
la guitarra secreta de la noche.

El invisible oro
de esta serena hora
cernía fresca paz y tierna vida
de luna y aire sobre el patio en sombra.

(De *Elegía de Medina Azahara.*)

RETRATO DE UN POETA
(1910)

A Luisa Revuelta

Oscura era tu vida en aquel pueblo.
Lo conocías todo, el muro, la calleja,
el viejo Ayuntamiento, destartalado y húmedo,
la fuente, la estación, la sacristía.

La tuya debió ser juventud de ojos grises,
capa con vueltas rojas, paseos a caballo,
novia en Doña Mencía o en Lucena,
versos de amor y de contrabandistas.

Al repasar los viejos caminos de las viñas
no pensaba en nada ni veías siquiera
los lagares, los pobres arrieros,
la Ermita de la Virgen en las cumbres.

Tan hondo sentimiento invadía tu alma
que no acertaste nunca a decirlo en poesía.
¿Qué dirá la belleza solitaria del lirio?
Por la flor más humilde la palabra es vencida.

Sufrimiento adorable de sentir cómo es bella
la tierra en que nacimos y no poder cantarla
a no ser una noche de primavera triste
con la guitarra oscura de vinos y nostalgias.

Mientras otros en las ciudades, aplaudidos
como tenor de moda, recogían el triunfo,
tú, lento por la luna, a tu casa volvías
desde la reja del amor nocturno.

El alba despertaba corrales y sembrados.
La mañana encendía su fresco vocerío
de racimos, semillas, animales.
Camino de la fuente pasaban las muchachas.

Y tu conocimiento era amor y caricia
que rozaba las cosas por miedo a despertarlas
de su encanto letárgico como conversaciones
de otoño en el crepúsculo durmiente de las parras.

(De Corimbo.)

Leopoldo de Luis

Nació en Córdoba en 1918. Reside en Madrid, donde ha dirigido la colección «Mensajes». Fue crítico de poesía de la revista *Papeles de Son Armadans*.

Obras: *Alba del hijo*, Madrid, 1946; *Huésped de un tiempo sombrío*, San Sebastián, Col. Norte, 1948; *Los imposibles pájaros*, Madrid, Adonais, 1949; *Los horizontes*, Las Palmas, Colección Planas de poesía, 1951; *Elegía en otoño*, Madrid, Col. Neblí, 1952; *El padre*, Melilla, Col. Mirto y Laurel, 1954; *El extraño*, Madrid, Ágora, 1955; *Teatro real*, Madrid, Adonais, 1957; *Juego limpio*, Madrid, Col. Palabra y Tiempo, 1961; *La luz a nuestro lado*, Barcelona, El Bardo, 1964; *Poesía* (1946-1968), Barcelona Plaza & Janés, 1968; *Con los cinco sentidos*, Col. Fuendetodos, Ed. Javalambre, Zaragoza, 1970.

SERÁ SENCILLAMENTE

¿Cómo decirte cómo? Será como las flores
que nievan de blancura un corazón de ramas.
Como el sol de la tarde, que madura colores
y matiza la tierra de doradas escamas.

Será como esa dulce sencillez de las cosas
que anima la espontánea sucesión de los días.
Será cual los rosales se iluminan de rosas
y las tardes se mueren en guedejas sombrías.

Será con ese arte de la vida diaria,
con esa poesía que hay en lo cotidiano,

esa oscura armonía del alma solitaria,
esa sorda belleza del primer artesano.

Será sencillamente; sin palabras vacías
ni artificios inútiles; como mana la fuente.
Señor, ¡es tan hermoso amar sencillamente!
Como vuelan los pájaros, como pasan los días...

(De *Huésped de un tiempo sombrío.*)

PATRIA DE CADA DÍA

Cada uno en el rumor de sus talleres
a diario la patria se fabrica.
El carpintero la hace de madera
labrada y de virutas amarillas.
El albañil de yeso humilde y blanco
como la luz. El impresor de tinta
que en el sendero del papel se ordena
en menudas hormigas.
De pan y de sudor oscuro el grave
campesino. De fría
plata húmeda y relente
el pescador. El leñador de astillas
con forestal aroma cercenada.
De hondas plumas sombrías
el minero. De indómitas verdades
y hermosura, el artista.
Cada uno hace la patria
con lo que tiene a mano: la sumisa
herramienta, los vivos materiales
de su quehacer, un vaho de fatiga,
una ilusión de amor y, al fin, la rosa
de la esperanza, aún en la sonrisa.

(De *Teatro real.*)

HUELES DE UNA MANERA DIFERENTE

Hueles de una manera diferente.
Amar es una forma de olor. El cuerpo impone
su presencia de aroma que subleva
esa selva, ese bosque
que somos.
                    No te veo.
No llego a tu contacto. Llegan flores
raras, deshechas, invisibles.
Certidumbre de ti en medio de la noche.

Un salvaje rosal es tu olor. Una
paloma es, y su vuelo recorre
hasta mí el aire. Una
profunda cabellera esparcida en el borde
de mi memoria.
                    Tu enredado aroma
entre mis dedos algo tuyo esconde.
Hasta mí llegas cada día hecha
olor enmarañado de azucenas y aloes.

Trasminas existencia. Te declaras
realidad amorosa que responde
a mi busca. Llamada
que su contestación en mi recoge.

Rastro exhalado, huella
reconocible, evanescente torre
de olorosa verdad. Humano aroma
de mujer junto al hombre.

Amar es una forma de olor. Llegas
fragante. Llego, Nos acoge
la onda que huele a vida enamorada,
a claveles que en dos bocas se rompen.

UNA BALA EN LA BOCA

Una bala en la boca
se le llenó de sangre.
Sintió como un caliente
sabor de hondos metales
cual si la vida fuera
metal que se deshace
de pronto. ¿Es el sabor
de la cita este alambre
rojo que salta o es
el de la muerte? Nadie
responde. Es ir sorbiendo
de uno mismo, ser cauce
de nuestra misma sed,
de nuestra propia hambre.
Río hacia adentro el río
que hacia afuera se evade.

¿A qué sabe la vida
o la muerte a qué sabe?

Esta sangre tragada
trae un gusto a paisajes
remotos, a perdidos
días niños distantes.
Acaso lo que vamos
siendo dentro nos late,
no pasa, y se acumula
disuelto y va flotante
con nosotros, oscuro
peso, pena, bagaje.

La sangre sabe a antiguos
yos, de pronto renacen
y morimos bebiéndonos
nuestro propio linaje.

Al que lanzó esta bala
que era hermano de madre
patria, ¿no le sabrá
también la boca a sangre?

(De *Con los cinco sentidos.*)

Gloria Fuertes

Nació en Madrid, en 1918. Es archivera-bibliotecaria y reside en Madrid. Fundó y dirigió la revista *Arquero*. Ha dado cursos de literatura española en universidades norteamericanas.

Libros publicados: *Isla ignorada*, Madrid, 1950; *Canciones para niños*, 1952; *Antología y poemas del suburbio*, 1954; *Aconsejo beber hilo*, Madrid, 1954; *Todo asusta*, 1958; *...Que estás en la tierra*, Colliure, Barcelona, 1962; *Ni tiro, ni veneno, ni navaja* (Premio Guipúzcoa), Col. El Bardo, Barcelona, 1966; *Poeta de guardia*, Col. El Bardo, Barcelona, 1968; *Sola en la sala*, Col. Fuendetodos, Zaragoza, 1973; *Cómo atar los bigotes del tigre*, Col. El Bardo, Barcelona, 1969; *Obras incompletas*, 3.ª ed., Madrid, Cátedra, 1977.

ORACIÓN

Que estás en la tiera, Padre nuestro,
que te siento en la púa del pino,
en el torso azul del obrero,
en la niña que borda curvada
la espalda, mezclando el hilo en el dedo.
Padre nuestro que estás en la tierra,
en el surco,
en el huerto,
cn la mina,
en el puerto,
en el cine,
en el vino,
en la casa del médico.

Padre nuestro que estás en la tierra,
donde tienes tu gloria y tu infierno
y tu limbo que está en los cafés
donde los pudientes beben su refresco.
Padre nuestro que estás en la escuela de gratis,
y en el verdulero,
y en el que pasa hambre
y en el poeta, ¡nunca en el usurero!
Padre nuestro que estás en la tierra,
en un un banco del Prado leyendo,
eres ese Viejo que da migas de pan a los pájaros del
Padre nuestro que estás en la tierra,   [paseo.
en el cigarro, en el beso,
en la espiga, en el pecho
de todos los que son buenos,
Padre que habitas en cualquier sitio,
Dios que penetras en cualquier hueco,
tú que quitas la angustia, que estás en la tierra,
Padre nuestro que sí que te vemos
los que luego te hemos de ver,
donde sea, o ahí en el cielo.

(De *Que estás en la tierra.*)

CUANDO TE NOMBRAN

Cuando te nombran,
me roban un poquito de tu nombre;
parece mentira,
que media docena de letras digan tanto.

Mi locura sería deshacer las murallas con tu nombre,
iría pintando todas las paredes,
no quedaría un pozo
sin que yo me asomora
para decir tu nombre,
ni montaña de piedra

donde yo no gritara
enseñándole al eco
tus seis letras distintas.

Mi locura sería,
enseñar a las aves a cantarlo,
enseñar a los peces a beberlo,
enseñar a los hombres que no hay nada,
como volverse loco y repetir tu nombre.

Mi locura sería olvidarme de todo,
de las 22 letras restantes, de los números,
de los libros leídos, de los versos creados.
Saludar con tu nombre.
Pedir pan con tu nombre.
—Siempre dice lo mismo— dirían a mi paso,
y yo, tan orgullosa, tan feliz, tan campante.
Y me iré al otro mundo con tu nombre en la boca,
a todas las preguntas responderé tu nombre
—los jueces y los santos no van a entender nada—
Dios me condenaría a decirlo sin parar para siempre

(De *Poeta de guardia.*)

Rafael Morales

Nació en Talavera de la Reina (Toledo) en 1919. Es licenciado en Filosofía y Letras. Premio Nacional de Literatura por su libro *Canción sobre el asfalto*. Ha dirigido algunos años la revista *Estafeta Literaria*.

Obras: *Poemas del toro*, Madrid, Adonais, 1943; *El corazón y la tierra*, Valladolid, Col. Halcón, 1946; *Los desterrados*, Madrid, Adonais, 1947; *Canción sobre el asfalto*, Madrid, Col. Los Poetas, 1954; *Antología y pequeña historia de mis versos*, Madrid, Escelicer, 1958; *La máscara y los dientes*, Madrid, Prensa Española, 1962; *Poesías completas*, Madrid, Giner, 1967.

A UN ESQUELETO DE MUCHACHA

Homenaje a Lope de Vega

En esta frente, Dios, en esta frente
hubo un clamor de sangre rumorosa,
y aquí, en esta oquedad, se abrió la rosa
de una fugaz mejilla adolescente.

Aquí el pecho sutil dio su naciente
gracia de flor incierta y venturosa,
y aquí surgió la mano, deliciosa
primicia de este brazo inexistente.

Aquí el cuello de garza sostenía
la alada soledad de la cabeza,
y aquí el cabello undoso se vertía.

Y aquí, en redonda y cálida pereza,
el cauce de la pierna se extendía
para hallar por el pie la ligereza.

(De *El corazón y la tierra.*)

SONETO TRISTE PARA MI ÚLTIMA CHAQUETA

Esta tibia chaqueta rumorosa
que mi cuerpo recoge entre su lana,
se quedará colgada una mañana,
se quedará vacía y silenciosa.

Su delicada tela perezosa
cobijará una sombra fría y vana,
cobijará una ausencia, una lejana
memoria de la vida presurosa.

Conmigo no vendrá, que habré partido,
y entre su mansa lana entretejida
tan sólo dejaré mi propio olvido.

Donde alentara la gozosa vida,
no alentará ni el más pequeño ruido,
sólo una helada sombra dolorida.

EL VINO

El vino rojo encierra una gran rosa,
un demente clavel enardecido,
un palpitar de ensueños y de olvido
en la purpúrea entraña silenciosa.

Su roja soledad, su perezosa
materia sin contorno y sin sentido

es pulpa de esperanza y de gemido,
fruto caliente de locura hermosa.

La copa es una herida donde alienta
la sangre del olvido y la alegría
en una llama cálida y violenta.

Dame tus alas rojas, copa mía,
puebla mi corazón que se alimenta
del dolor de la vida cada día.

CÁNTICO DOLOROSO AL CUBO
DE LA BASURA

Tu curva humilde, forma silenciosa,
le pone un triste anillo a la basura.
En ti se hizo redonda la ternura,
se hizo redonda, suave y dolorosa.

Cada cosa que encierras, cada cosa
tuvo esplendor, acaso hasta hermosura.
Aquí de una naraja se aventura
la herida piel que en el olvido posa.

Aquí de una manzana verde y fría
un resto llora zumo delicado
entre un polvo que nubla su agonía.

Oh, viejo cubo sucio y resignado,
desde tu corazón la pena envía
el llanto de lo humilde y lo olvidado.

(De *Canción sobre el asfalto.*)

José Luis Hidalgo

Nació en Torres (Santander) en 1919 y murió el 3 de febrero de 1947 en un sanatorio de Chamartín de la Rosa (Madrid). Además de poeta, era un excelente dibujante y pintor.

Obras: *Raíz*, Valencia, 1943; *Los animales*, Santander, Colección Proel, 1944; *Los muertos*, Madrid, Adonais, 1947; *Obra poética completa*, Santander, Instituto Cultural de Cantabria, 1977.

ORACIÓN EN SILENCIO

Cuando estoy preguntando y, de repente,
levanto a ti los ojos y me callo,
entonces es, Señor, que Tú me escuchas
   y te hablo.

La luz crece en mi alma dulcemente
y en ella está mi cuerpo iluminado
como muerto ya en Ti, cuando me tengas
   puro y blanco.

El silencio es, Señor, como la muerte
y sólo muerto has de escuchar mi llanto.
Escucha mi silencio: aun estoy vivo
   y preguntando.

MUERTE

Señor: lo tienes todo; una zona sombría
y otra de luz celeste y clara.
Mas, dime Tú, Señor, los que se han muerto,
¿es la noche o el día lo que alcanzan?

Somos tus hijos, sí, los que naciste,
los que desnudos en su carne humana
nos ofrecemos como tristes campos
al odio o al amor de tus dos garras.

Un terrible fragor de lucha, siempre
nos suena oscuramente en las entrañas,
porque en ellas Tú luchas sin vencerte,
dejándonos su tierra ensangrentada.

Dime, dime, Señor, ¿por qué a nosotros
nos elegiste para tu batalla?
Y después, con la muerte, ¿qué ganamos,
la eterna paz, o la eterna borrasca?

(De *Los muertos.*)

Vicente Gaos

Nació en Valencia en 1919. Es licenciado en Filosofía y Letras. De 1948 a 1956 ocupó cátedras de literatura española en Universidades de los Estados Unidos. Fue Premio Adonais de 1944 con su libro *Arcángel de mi noche*. En 1963 obtuvo el Premio Ágora de poesía.

Obras: *Arcángel de mi coche*, Madrid, Adonais, 1944; *Sobre la tierra*, Madrid, Revista de Occidente, 1945; *Luz desde dentro*, Valladolid, Col. Halcón, 1947; *Profecía del recuerdo*, Santander, Col.. Cantalapiedra, 1956; *Poesías completas*, Madrid, Giner, 1959; *Mitos para tiempo de incrédulos*, Madrid, Col. Ágora, 1964; *Concierto en mí y en vosotros*, Universidad de Puerto Rico, 1965; *Poesías completas, II* (1958-1973), Colección Provincia, León, 1974.

LA VIDA

Los ardorosos signos de la vida
palpitan en el aire del verano.
El mar alienta como un ser humano,
como una criatura enardecida.

Oh gozo, gozo, amor, sangre encendida,
cósmica vibración de un mundo arcano,
mundo que siento en ti, al tocar mi mano
tu delicada sien estremecida.

Te quiero, sí, te quiero, sueño fuerte,
cierro los ojos y te siento entera
—oh luz hermosa y ciega de la muerte.

Última fiebre de la primavera—.
Cierro los ojos porque quiero verte.
¡Oh Dios, haz que la vida nunca muera!

HOY LUCE EL SOL.
SOBRE MI TRISTE VIDA...

Hoy luce el sol. Sobre mi triste vida
su brillo resplandece con promesa.
Mediada está mi vida y ya la huesa,
de par en par como una abierta herida,

me llama con su vértigo... Vencida
mi frente, que el dorado sol aún besa
—me pesa tanto el corazón, me pesa
tanto—, nunca podrá ya estar erguida.

Gracias, oh sol, oh vida, amor luciente,
benigna luz de Dios, piadoso engaño,
que aún quieres ser consuelo de mi frente.

Deja que mire el hueco soterraño.
Déjame hundirme, oh Dios, en tu poniente
oscuro en el que cesa todo daño.

(De *Profecía del recuerdo.*)

OLVIDAOS

Quia pulvis es et in pulvis reverteris

Olvida, hombre...

Olvida que eres ceniza
y has de convertirte en ceniza.

Olvídate de ese miércoles
y del *in pulvis reverteris.*

Pues aunque seas ceniza y polvo,
hay vida, amor, belleza en torno.

Es verdad: belleza, amor, vida,
fugitivas flores de un día.

Pero flores, sí. Mientras dure
la magia cierta de su perfume,

olvídate del polvo y la muerte.
Más vale que no recuerdes

lo que con memoria o sin ella
llamará algún día a tu puerta.

Ahora ciérrala. Abre el balcón,
que te penetre y embriague el sol.

Míralo bien: cierra los párpados,
y que el sol te salve del caos.

Al final verás que es lo mismo
vivir y morir, el domingo

que el miércoles. Cuando llegue
cenicienta y fría la muerte,

acógela conforme, tranquilo,
seguro de haber vivido.

Con la memoria de una vida
que desoyó la profecía

funeral, que no se perdió
en el miedo y duda de Dios.

Cuando sientas el gusto amargo
de la ceniza en la boca, trágalo,

apúralo. Al llegar la muerte,
abre la puerta y tiéndete, duérmete.

...No recuerdes.

HOMBRE TOTAL

(Homenaje a Lope de Vega)

I

Ojos verdes de Marta de Nevares.
Ojos —¿negros tal vez?— de Dorotea.
Ojos azules, clara luz febea
de Camila Lucinda. ¡Qué avatares

de amor sin contención! Gozos, pesares,
gozos... Esto es amor. Quien no lo crea,
mírese en unos ojos, que se vea
en unos de mujer. *(Cantares:*

*Esos ojos que vemos no son ojos
porque nosotros los veamos, son
ojos porque nos ven.)* Mas la ceguera

de Marta, y el olvido, los despojos
de tanta lumbre extinta... Tu canción
se eleva al fin hacia la luz primera.

II

No sabe qué es amor quien no te ama.
No sabe qué es amor quien no te mira.
Tú arrancaste a su alma y a su lira
el son más dulce, la más fiera llama.

¿Qué fue de tanto amor por tanta dama?
Sólo cenizas de la inmensa pira.

Se nubla la mirada, el cuerpo expira,
y el alma quiere asirse a la alta rama

de Dios, que con sus silbos amorosos
te hechiza en la honda calma del verano.
Madrid, a mil seiscientos treinta y cinco.

Pasaron ya los años venturosos
y los amargos. Todo pasó en vano.
Y a Dios te entregas con mortal ahínco.

(De *Concierto en mí y en vosotros.*)

José Hierro

Nació en Madrid en 1922. Ha vivido su infancia y adolescencia en Santander. Actualmente reside en Madrid, donde trabaja en una editorial. Obtuvo el Premio Adonais en 1947; el Premio Nacional de Literatura, en 1953, y el Premio de la Crítica, en 1958.

Obras: *Tierra sin nosotros*, Santander, Proel, 1947; *Alegría*, Madrid, Adonais, 1947; *Con las piedras, con el viento*, Santander, Proel, 1950; *Quinta del 42*, Madrid, Editora Nacional, 1953; *Antología Poética*, Santander, 1953; *Cuanto sé de mí*, Madrid, Ágora, 1957; *Poesías completas*, Madrid, Giner, 1961; *Libro de las alucinaciones*, Madrid, 1964.

PARA UN ESTETA

Tú que hueles la flor de la bella palabra
acaso no comprendas las mías sin aroma.
Tú que buscas el agua transparente
no has de beber mis aguas rojas.

Tú que sigues el vuelo de la belleza, acaso
nunca, jamás pensaste cómo la muerte ronda
ni cómo vida y muerte —agua y fuego— hermanadas
van socavando nuestra roca.

Perfección de la vida que nos talla y dispone
para la perfección de la muerte remota.
Y lo demás, palabras, palabras y palabras,
¡ay, palabras maravillosas!

Tú que bebes el vino en la copa de plata
no sabes el camino de la fuente que brota
en la piedra. No sacias tu sed en su agua pura
con tus dos manos como copa.

Lo has olvidado todo porque lo sabes todo.
Te crees dueño, no hermano menor de cuanto nom-
Y olvidas las raíces («Mi obra», dices), olvidas   [bras.
que vida y muerte son tu obra.

No has venido a la tierra a poner diques y orden
en el maravilloso desorden de las cosas.
Has venido a nombrarlas, a comulgar con ellas
sin alzar vallas a su gloria.

Nada te pertenece. Todo es afluente, arroyo.
Sus aguas en tu cauce temporal desembocan.
Y hechos un solo río os vertéis en el mar,
«que es el morir», dicen las coplas.

No has venido a poner orden, dique. Has venido
a hacer moler la muela con tu agua transitoria.
Tu fin no está en ti mismo («Mi obra», dices), olvidas
que vida y muerte son tu obra.

Y que el cantar que hoy cantas será apagado un día
por la música de otras olas.

(De *Quinta del 42*.)

SANTILLANA DEL MAR

Cuando se piensa que estas piedras, antes
de ser domadas armoniosamente,
fueron escudo sobre el pecho ardiente
del mundo en sus orígenes errantes,

104

cauce para las aguas caminantes;
entraña de oro de la tierra; frente
de montaña, osamenta que no siente
sobre la piel la voz de los amantes...

Cuando se piensa cómo ha sido herida,
hecha manjar para la luz, medida,
ordenada, elevada hacia la altura,

y que la tierra, silenciosa, espera
nuevamente a su vieja prisionera
para encerrarla en su prisión oscura...

(De *Cuanto sé de mí...*)

RÉQUIEM

Manuel del Río, natural
de España, ha fallecido el sábado
11 de mayo, a consecuencia
de un accidente. Su cadáver
está tendido en D'Agostino
Funeral Home. Haskell. New Jersey.
Se dirá una misa cantada
a las 9,30, en St. Francis.

Es una historia que clmienza
con sol y piedra, y que termina
sobre una mesa, en D'Agostino,
con flores y cirios eléctricos.
Es una historia que comienza
en una orilla del Atlántico.
Continúa en un camarote
de tercera, sobre las olas
—sobre las nubes— de las tierras
sumergidas ante Platón.
Halla en América su término

con una grúa y una clínica,
con una esquela y una misa
cantada, en la iglesia St. Francis.

Al fin y al cabo, cualquier sitio
da lo mismo para morir:
el que se aroma de romero,
el tallado en piedra, o en nieve,
el empapado de petróleo.
Da lo mismo que un cuerpo se haga
piedra, petróleo, nieve, aroma.
Lo doloroso no es morir
acá o allá...
                    Requiem aeternam,
Manuel del Río. Sobre el mármol
en D'Agostino, pastan toros
de España, Manuel, y las flores
(funeral de segunda, caja
que huele a abetos del invierno),
cuarenta dólares. Y han puesto
unas flores artificiales
entre las otras que arrancaron
al jardín... *Liberame Domine
de morte aeterna*... Cuando mueran
James o Jacob verán las flores
que pagaron Giulio o Manuel...

Ahora descienden a tus cumbres
garras de águila. *Dies irae*.
Lo doloroso no es morir
Dies illa acá o allá,
sino sin gloria...
                    Tus abuelos
fecundaron la tierra toda,
la empapaban de la aventura.

Cuando caía un español
se mutilaba el universo.

Los velaban no en D'Agostino
Funeral Home, sino entre hogueras,
entre caballos y armas. Héroes
para siempre. Estatuas de rostro
borrado. Vestidos aún
sus colares de papagayo,
de poder y de fantasía.

Él no ha caído así. No ha muerto
por ninguna locura hermosa.
(Hace mucho que el español
muere de anónimo y cordura,
o en locuras desgarradoras
entre hermanos: cuando acuchilla
pellejos de vino, derrama
sangre fraterna.) Vino un día
porque su tierra es pobre. El mundo
Liberame Domine es patria.
Y ha muerto. No fundó ciudades.
No dio su nombre a un mar. No hizo
más que morir por diecisiete
dólares (él los pensaría
en pesetas). *Requiem aeternam.*
Y en D'Agostino lo visitan
los polacos, los irlandeses,
los españoles, los que mueren
en el week-end.

                    Requiem aeternam.
Definitivamente todo
ha terminado. Su cadáver
está tendido en D'Agostino
Funeral Home. Haskell. New Jersey.
Se dira una misa cantada
por su alma.
                    Me he limitado
a reflejar aquí una esquela
de un periódico de New York.

Objetivamente, sin vuelo
en el verso. Objetivamente.
Un español como millones
de españoles. No he dicho a nadie
que estuve a punto de llorar.

NIÑO

Rey de un trigal, de un río, de una viña:
así habrá de soñarse. Y libre. Dueño
de sí, hoguera perpetua en que arda el leño
de la verdad. Y que el amor lo ciña.

Querrá subir hasta que el cielo tiña
de claridad el bronce de su sueño.
Pero no hay alas. Se herirá en su empeño,
y llorará sobre su frente niña.

Y sabrá la verdad. Morirá el canto
en su garganta, roja del espanto
que oye y que mira y gusta y toca y huele.

Y estrenará su corazón rasgado
de hombre acosado, de hombre acorralado,
de ejecutado en cuanto se rebele.

(De *Cuanto sé de mí.*)

108

Eugenio de Nora

Nació en Zacos (León) en 1923. Estudió Filosofía y Letras. Desde 1949 es profesor de Literatura Española en la Universidad de Berna. En 1953 obtuvo el Premio Boscán de poesía con su libro *España pasión de vida*.

Obra: *Cantos del destino*, Madrid, Adonais, 1945; *Amor prometido*, Valladolid, Col. Halcón, 1946; *Contemplación del tiempo*, Madrid, Adonais, 1948; *Siempre*, Madrid, Ínsula, 1953; *España, pasión de vida*, Barcelona, Instituto de Estudios Hispánicos, 1954; *Poesía (1939-1964)*, León, Col. Provincia, 1975.

UN DEBER DE ALEGRÍA

¿Yo fui triste?
En la noche
siento que avanza el mundo como el amor de un
como la pobre vida, combatida y cansada   [cuerpo,
aún encuentra en la noche la ceguedad del cuerpo,
la ternura del cuerpo
queriéndose, buscando
en quién querer, con manos
deslumbradas y humanas.

Todavía, mientras dura la noche,
mientras la soledad, tan tuya,
y la inmensa tristeza, sedienta y sin sosiego
de los que multiplican tu soledad en mundo
funden —Eugenio, España— una tiniebla sola,
todavía

algo queda en el alma, y si aprietas los ojos
por despertar, por no creer la sombra,
aún fragmentos de aurora la sangre te daría.

Cuando la pobre gente de nuestro pueblo llega
del sudor y del polvo, del trabajo vendido
con el alma cerrada, cuando
llega y encuentra el día que se acaba temblando
en la lumbre cocida y alimenticia, llega
y cae, la pobre gente oscura,
derribada en las sillas; y encuentra la sonrisa
todavía, la hermosa, prodigiosa sonrisa
—si hay algo prodigioso— del viviente que tiene
aún no lo necesario;

entonces, duramente,
algo en mí se incorpora, y siento, sin remedio,
un deber de alegría.

No hay fatiga. Nosotros
excedemos el tiempo. La estatua congelada
detenida en las calles, nosotros estrechamos
su mano y la fundimos.
                              Ellos, ellos,
quienes casi no viven, y esperan, me lo dicen,
y yo puedo escucharlo.

Nunca sueña quien ama, nunca
está solo. La pujanza es idéntica.
De la rosa ofrecida
al amor, a la piedra
fijada con amor, a las balas
hundidas y enseñadas
por amor, todo avanza
y edifica; ¡Despierta!

Y enemigo, expulsado de la tristeza, siento
cómo la aurora iza su bandera rociada.

PATRIA

La tierra, yo la tengo sobre la sangre escrita.
Un día fue alegre y bella como un cielo encantado
para mi alma de niño. Oh tierra sin pecado,
sobre cuyo silencio sólo la paz gravita.

Pero la tierra es honda. La tierra necesita
un bautismo de muertos que la hayan adorado
o maldecido, que hayan en ella descansado
como sólo ellos pueden: haciéndola bendita.

Fui despertado a tiros de la infancia más pura
por hombres que en España se daban a la muerte.
Aquí y allí, por ella. ¡Mordí la tierra, dura,

y sentí sangre viva, cálida sangre humana!
Hijo fui de una patria. Hombre perdido; fuerte
para luchar ahora, para morir, mañana.

(De *España, pasión de vida.)*

Carlos Bousoño

Nació en Boal (Asturias) en 1923. Estudió Filosofía y Letras en la Universidad de Madrid, de la que actualmente es profesor. Fue profesor de literatura española en la Universidad de Wellesley (Estados Unidos). Premio Fastenrath de la Academia Española, por su libro *Teoría de la expresión poética*. Aunque su más esencial vocación es la poesía, cultiva también con brillantez los estudios estilísticos, y ha escrito el mejor libro que existe sobre la poesía de Aleixandre. Ha obtenido el Premio de la Crítica dos veces: en 1968, con *Oda en la ceniza*, y en 1974, con *Las monedas contra la losa*.

Obras: *Subida al amor*, Madrid, Adonais, 1945; *Primavera de la muerte*, Madrid, Adonais, 1946; *Hacia otra luz*, Madrid, Ínsula, 1950; *Noche del sentido*, Madrid, Ínsula, 1957; *Poesías completas*, Madrid, Giner, 1960; *Invasión de la realidad*, Madrid, Espasa-Calpe, 1962; *Oda a la ceniza*, Barcelona, El Bardo, 1967; *Las monedas contra la losa*, Visor, Madrid, 1973; *Antología poética, 1945-1973*, Barcelona, Plaza Janés, 1976.

SALVACIÓN DE LA VIDA

Ven para acá. Qué puedes decir. Reconoces
tácitamente a la aurora.
El aire se ensancha en irradiaciones o en círculos
y todo queda listo para una eternidad que no llega.
Yo y tú y todos los otros, sumados,
enumerados, descomponemos el atardecer,
mas la fuerza de nuestro anhelo es una victoria levísi-
Somos los herederos de una memoria sin fin.   [ma.
Se nos ha entregado un legado de sueño
que nos llega a las manos desde otras manos y otras

112

que se sucedieron con prisa. Llevemos
sin parsimonia nuestra comisión delicada. Pongamos.
más allá de nosotros, a salvo de la corrupción de la
                                                    [vida,
nuestro lenguaje, nuestros usos, nuestros vestidos,
la corneta del niño, el delicado juego sonoro,
la muñeca, el trompo, la casa.
El niño juega, el niño se adueña de su situación y do-
Es el bandido, el señor, el malvado,   [mina.
el generoso, el risueño.
Coge entre sus manos arena y construye un castillo,
toma piedras, levanta catedrales o juega
con la compacta peonza.
Se esconde detrás de una cama o astuto sonríe
amparado por el biombo chinesco.
Qué risas las que se escuchan después cuando el niño
es descubierto por la argucia de otro, al correr de los
                                                    [siglos.
Buscad, buscad ahora de nuevo sin descanso en la al-
detrás del armario, en el cuarto trastero.   [coba,
Allí escondido sofoca su risa el muchacho,
reprime el estallido de su felicidad de vivir para siem-
junto a mamá y al perro y al aro.   [pre,
Buscad, buscad en el desván, en el derrotado jardín,
tras el viejo olmo, o el roble o el cedro.
Mirad hacia arriba. Encaramado se encuentra el mu-
y todo vive como ayer, animoso.   [chacho,
Pongámoslo todo a salvo. Entreguemos
pronto nuestro lenguaje a este niño,   [mos»,
enseñémosle a decir «vida», «humanidad», «espere-
enseñémosle a hacer una csasa, una carretera, un ca-
                                                    [mino.
Salvémoslo todo, queda poco tiempo, este campo,
salvemos el carromato, el colchón, la vieja cubierta del
                                                    [coche,
el carbón del hogar, el atizador, el sombrero.
Queda todavía una chaqueta detrás de la puerta tra-
ponla también en el carro. Y el rudo martillo.   [sera,

113

Algo se nos olvida, no sé lo que es,
ay, marchemos, el niño,
se nos olvida el trompo, el carrito, el jilguero,
se nos olvida el perro guardián. Vete pronto a buscarlo,
ay que me muero, es el río
que ya no se escucha, es el aire
que no se respira, es el viento
que no corre, y el campo
que ya no se ve... Mas vosotros, seguid.

(De *Invasión de la realidad.*)

DESDE LEJOS

Pasa la juventud, pasa la vida,
pasa el amor, la muerte también pasa,
el viento, la amargura que traspasa
la patria densa, inmóvil y dormida.

Dormida, en sueño para siempre, olvida.
Muertos y vivos en la misma masa
duermen común destino y dicha escasa.
Patria, profundidad, piedra perdida.

Piedra perdida, hundida, vivos, muertos.
España entera duerme ya su historia.
Los campos tristes y los cielos yertos.

Sobre el papel escrita está tu gloria:
querer edificar en los desiertos;
aspirar a la luz más ilusoria.

(De *Noche del sentido.*)

114

CORAZÓN PARTIDARIO

A mi hermano Luis

Mi corazón, lo sabes,
no está con el que triunfa o que lo espera, con el jura-
[mentado mercader
que acecha el buen provecho, se agazapa, salta sobre
[la utilidad, que es su querida,
busca ganancia en el abrazo,
obtiene renta de las mariposas y pone rédito a la luz,
cobra recibo por los amaneceres milagrosos,
por la cambiante gracia del color
de una invisible rosa apresurada,
dulce y apresurada
como si fuese un hombre o una llama
o una felicidad humana: sí.

Mi corazón no está con el hombre que sabe
de la verdad todo lo necesario
para olvidar el resto de ella,
satisfecho del viento, poderoso del humo, canciller de
pero nunca de sí.   [la niebla, rey acaso,
Mi corazón está con el que un día,
quitando el brillo breve, retirada la gracia que hasta
[allí le alentó,
en bajamar hostil todo cuanto nos hace
dulce la realidad, leve la vida, adorable la luz,
sabe decir: «no importa».

Mi corazón está con el que entonces,
en el vaso que una mano de niebla le tiende entre la
bebe hasta el fin, con lucidez,   [sombra,
sin amargura,
toda la hez del mundo.

Y luego, seriamente,
                allá en lo alto,
mira, con ojo nuevo,
el cielo puro.

MIENTRAS EN TU OFICINA RESPIRAS

Mientras en tu oficina respiras, bostezas, te abando-
     nas, o dictas en tu clase una lección
ante extraños alumnos que fijamente te contemplan,
     con sueño aún en la temprana hora;
mientras hablas, mientras gesticulas en el café,
o inmóvil te concentras en la meditación
de tu escritorio, o echado en el hondo diván
repasas lentamente recuerdos de tu vida; mientras
     quieto te abismas en la visión de la llanura in-
     terminable, o mientras escribes una lenta pala-
     bra y te recreas en su dulce sonido, en su
     amorosa realidad,

caes, estás cayendo hacia atrás por una quebrada del
     monte,
estás rodando entre piedras y cardos por la abrupta
     pendiente
hacia un barranco en el que corre un río,
rápido como el viento un río corre,
estás herido en la boca, en las manos, el pecho,
sangras por un oído, te despeñas por el farallón
cabeza abajo,
con las piernas en abierto compás,
hacia el fondo, ya con los huesos rotos,
crispadas mano y boca, hacia el abismo, abajo,
súbitamente próximo,
escribes la palabra lentamente, te concentras, murmu-
     ras, en el café discutes, muy despacio sonríes,
     adelantas una noble razón,
aduces un adorno, un tejido, un recamado oro,
hablando en la tarima de tu clase diserta,

donde todos están cabeza abajo.

(De *Las monedas contra la losa.*)

Carlos Edmundo de Ory

Nació en Cádiz, en 1923. Es uno de los fundadores del «Postimo», movimiento de estética experimental surgido en Madrid en 1945. De 1955 a 1967 residió en París, y en ese último año se trasladó a Amiens, donde actualmente reside y es bibliotecario de la «Maison de Culture».

Obras: *Los sonetos*, Col. Palabra y tiempo, Madrid, 1963; *Poemas*, Madrid, Col. Adonais, 1969; *Música de lobo*, Madrid, Cuadernos de Poesía, 1970; *Técnica y llanto*, Barcelona, Ocnos, 1971; *Poesía* (1945-1969), Barcelona, Edhasa, 1970; *Los poemas de 1944*, Col. Aguaribay, Madrid, 1973; *Poesía abierta*, Barcelona, Ocnos, 1974; *Lee sin temor*, Madrid, Ed. Nacional, 1976.

CÁNTICO

Como las rosas vacías
llenan de huesos la noche
el cielo baja a mis manos
y todo el jardín es himno

Yo acostumbro a ser dichoso
con un sabor en la boca
El hambre que tengo de hambre
llena de polvo mis sienes

Cada minuto que adoro
algo en los lejanos aires
de mi interior salen lágrimas
que ningún ojo conocen

Me estoy diciendo a mí mismo
no pienses piensa no pienses

Y en las líneas de una mano
leo mi vida esta noche

NO CREO NADA

No creo nada. Este fatal perfume
que está detrás del éxtasis
Y esta manzana que me diste
¡Oh palacio bendito! Caen los días
y tristemente meto mi cabeza en el mar

Hereditaria dicha, lecho abierto
Un corazón tras el antiguo olvido
yermo en su carne de su aspecto duda
Y me voy porque estoy bastante triste
a besar la muralla. Desde entonces
hay un color demasiado cansado

¿Oyes cómo se inclina?
¿De veras crees que te visito?
Los ojos fatigados de un perro son más dulces
Mi cabeza contesta amargamente
De verde mármol es el horizonte

Yo lloro a solas convencido
Mientras constantemente debo todo
a una caricia de seda veloz

En esta humilde noche
entra la oscuridad con pie risueño
Sentado evoco y desprovisto acudo
a los sollozos silenciosos.

Déjame sin creer. Enorme estático
¡Ay, sí, pobres alfombras
y lámparas desiertas!
Las estrellas no existen
tampoco tú. Saber la hora quiero
que has de venir

DOMINGO

Ahora me lloro un poco solito y acostado
y se ríen mis colchas de mi cara mendiga
El pan de los quejidos del hombre se hace miga.
Cae en la cama un pan desmoronado.
Dolor, viejo pecado
en lágrimas tan limpias mal bañado.

Llorar es un país de inmensas landas duras
y de bosques inmensos, todo inmenso
Montes también y ríos también por donde apuras
alma nocturna errante un cuerpo tenso
Y el llanto es como un pienso
de animal insaciable, saciado de amarguras.

MARÍA GARCÍA

Soy puro amo la cesta de los siglos
roja como la de los gallos allí se confundirá
mi nombre de fuego y sentado en lo alto
te amaré tranquilo.
Eres pura eres tímida la muerte te asusta.
Colgada de una frase bella pasas la noche.
Te despiertas para respirar.
La ventana está cerrada porque temes los pinos.
Volví solo a la casa para ver
tu cama vacía allí jugamos.
Ahora estás en la ciudad con tus padres.
¿Vas a olvidar vas a olvidar?
A esta casa de campo volveré
como sitio solitario
y lleno de negrura seré feliz
recordando tu pereza de enferma.

(De *Poesía 1945-1969.)*

LOS AMANTES

Como estatuas de lluvia con los nervios azules.
Secretos en sus leyes de llaves que abren túneles.
Sucios de fuego y de cansancio reyes.
Han guardado sus gritos ya no más.

Cada uno en el otro engacelados.
De noches tiernas en atroz gimnasio.
Viven actos de baile horizontal
No caminan de noche ya no más.

Se rigen de deseo y no se hablan.
Y no se escriben cartas nada dicen.
Juntos se alejan y huyen juntos juntos.
Ojos y pies dos cuerpos negros llagan.
Fosforecentes olas animales.
Se ponen a dormir y ya no más.

Rafael Montesinos

Nació en Sevilla en 1920. Desde 1941 reside en Madrid. En 1957 obtuvo el Premio de poesía «Ciudad de Sevilla».

Obras: *Canciones perversas para una niña tonta*, Madrid, Garcilaso, 1946; *El libro de las cosas perdidas*, Valladolid, Colección Halcón, 1946; *Las incredulidades*, Madrid, Adonais, 1948; *País de la esperanza*, Santander, Col. Cantalapiedra, 1955; *La soledad y los días*, Madrid, Aguado, 1956; *El tiempo en nuestros brazos*, Madrid, 1958; *La verdad y otras dudas*, Madrid, Cultura Hispánica, 1967.

VIDA

Nació. Vivió feliz. Sorbió la vida
de un solo y bello trago adolescente.
Buscó su soledad, y hallóse enfrente
de una terrible, inesperada herida.

Dio en la locura de creer en todo.
«¡Oh sensatez de no creer en nada!»,
dijo, y después el alma, ilusionada,
quiso sentir la vida de otro modo.

Harto de hablarle a un Dios sordo a su ruego
(¡oh peligroso corazón cansado,
que le das a tu fe palos de ciego!),

en la esperanza de otra luz moría.
«¡Cuánto tarda en llegar el nuevo día!»,
dijo, y se echó a dormir del otro lado.

(De *País de la esperanza.*)

NIÑEZ Y REMORDIMIENTO

Sólo recuerdo palabras
antiguas, ocres, lejanas...
Pumarejo, Villalatas
al fondo de un valle....
                                    (blancas
palabras también apagan
el clamor de estas mañanas
con pájaros y campanas).
Oh mi pobre Andalucía
la baja,
Oh, alegrísima miseria
blanqueada
con broche de cal y llanto
que nadie —ay Dios— ampara.

(De *La verdad y otras dudas.*)

Alfonso Canales

Nació en Málaga en 1923. Ejerce la carrera de abogado en su ciudad natal. Pertenece al grupo fundador de la revista malagueña *Caracola*, y fundó, con José A. Muñoz Rojas, la colección de poesía «A quien conmigo va».

Obras: *Sonetos para pocos*, Málaga, Col. A quien conmigo va, 1950; *Sobre las horas*, Málaga, Col. El arroyo de los ángeles, 1950; *El candado*, Málaga, 1956; *Port-Royal*, Málaga, 1956; *Cuestiones naturales*, Málaga, Cuadernos María Cristina, 1961; *Cuenta y razón*, Madrid, Adonais, 1962; *Aminabad*, Madrid, Revista de Occidente, 1965; *Gran fuga*, Málaga, El Guadalhorce, 1970; *Réquiem andaluz*, Madrid, Visor, 1972; *Epica menor*, Sevilla, Col. Aldebarán, 1973; *El año sabático*, Madrid, Ed. Nacional, 1976.

CIMA

Señor, y para verte siempre subía al monte.
Siempre estás en los montes, nos hablas en los montes,
tu majestad levantas en los montes. Huía
hasta la cima árida para encontrarte. Nubes
me traspasaban; aires brotados de las olas
del mar vecino herían mi piel, al divisarte.
Rugías Tú, afilabas tu navaja de viento
sobre las rocas ásperas, me hablabas de otros montes
plomizos, rociados por la altura que amas.
Te adoraba en las guijas, en los largos estambres
de la flor de alcaparra, en la pizarra llena
de menudos reflejos metálicos. Te amaba
en el almendro visto desde arriba, dorado

por el sol implacable del mediodía justo,
en la música ardiente de los tábanos. No eras
nada de cuanto arriba se veía: y estabas,
empero, sobre todo y en todo, por debajo
de todo, sustentándolo todo, como la tierra
sostiene los pinares, los luminosos árboles
del amor, como estoy sosteniendo este canto.

OTOÑO

Aquella tarde era, aquella tarde era
como el centro de un vaso donde la luz se torna
lívida, atravesando un blanquísimo muro
de cuajado cristal.

               Los árboles estaban
húmedos; los rosales goteaban; la tierra
se poblaba de súbitos caracoles; y un vaho
a teja recién hecha llenaba el aire.

               El viento
mecía la tristeza de los plátanos. Alto
tesoro de oro pálido se vertía y danzaban
papeles de meriendas antiguas por el llano.
Asomaban su lengua los candiles, buscando
una lágrima nueva.

               Y el tiempo parecía
ya vivido por alguien, ya usado, desprendido
del corazón de un pájaro que voló en otro siglo.

(De *El candado*.)

PACTO

Tú me darás tu asco, la resina
de tu tronco de hombre;
yo te daré el vacío,
la tierra prometida a los cansados
de esperar una luz.

124

                    Tú a mí, la sangre ajena,
ese templado río que te incita;
yo, a cambio, la segura
convicción de que puedes.

He de darte un remanso de metal, una orilla
de material asilo,
la ágil libertad de los dedos.
Serán tus manos como tercas ramas
o como insectos que obstinados ponen
su avidez en los frutos.
Tú puedes darme a trueque el tembloroso
llegar hasta las cosas,
el temor a la huída
de lo logrado, el miedo
al vivo resbalar del pez en fuga.

Podría revelarte si quisieras
cuanto los finos paños ocultan,
la caliente
palpitación del cuerpo joven: pieles
nunca tocadas, vahos
que impesable la carne
tornan,
la apariencia de eterna vida, el terco
respirar de los ríos interiores,
aflorados a campos de demasía súbita: una puerta
encallada en el límite, una exclusa
para verterte tú de ti, de todo.
Mas, cruzadas las jambas, aterida
la ansiedad en su fondo, me otorgabas
el más reciente tallo del disgusto,
el hervor destemplado,
la tierna majestad de la desidia
entregada a su lecho.

  Puesto a dar, pudo darte una columna
en piedra y humo y soledad, erguida

a cada paso, a cada estancia: un firme
asidero total aquí y ahora.
Tú me darás de ti lo que no amas,
eso que cuando cantas se rebela,
esa tibia sospecha, ese rescoldo
de algo que afirma no acabar: tú mismo.

(De *Aminadab.*)

José Luis Prado Nogueira

Nació en El Ferrol del Caudillo en 1919. Es Oficial de Marina. Premio Nacional de Literatura.

Obras: *Testigo de excepción*, Madrid, 1953; *Oración del Guadarrama*, Madrid, Ágora, 1956; *Respuesta a Carmen*, Madrid, Adonais, 1958; *Miserere en la tumba de R. N.*, Sevilla, Col. Ixbiliah, 1960; *Sonetos de media muerte*, Madrid, Col. Palabra y Tiempo, 1963; *La carta*, Madrid, Cultura Hispánica, 1966.

REMEDIOS

¡Oh noche clementísima, prodigio
de Guadarrama azul! Entre dos álamos
de indeciso verdor emerge el Cerro
de la Peñal del Sol. Hay cuatro estrellas
por álamo, votivas. ¿Cuántos siglos
de mineral incandescencia llaman
a unos perdidos, verdaderos
ojos perdidos, ojos de poeta?
Es noche de excepción en las alturas,
trasvasada a la tierra, prodigiosa.
Los álamos tan altos, tan doradas
las estrellas, los campos tan dormidos
y solemnes, los seres diminutos
de la Creación, lejanos y sonoros...
¡A quién clamar, oh noche! El mundo ronca
en tu azul caudaloso: abandonado
estoy a tu belleza. Necesito

contagiar, compartir, compadecerme.
Y aun así, callaré. No entenderían.
Yo sé que hay una noche entre las noches,
pero ¿dónde hallaré un pecho tan virgen
que me diga: agradezco tu llamada?
Todo me ha sido dado en exclusiva:
el mundo ronca unánime y dichoso.

Voy andando hacia casa y una imagen
resucita ante mí. ¿Por qué tú sola
Remedios olvidada, única y súbita,
respondes a mi voz? Ya sé que todo
es un milagro, un íntimo prodigio,
una efusión de amor inconfesado.
Habías de ser tú, pobre Remedios,
tú con tu bata de percal, tu rostro
de pergamino; tú con tus pies sucios.
Bien sé que tú, Remedios, con tu boca
abierta, con tu risa desdentada
de tonta pueblerina, con tu ejército
de cabras y de ovejas, cada día
vuelves tus ojos hacia Maliciosa
y por rampas de luz, humildemente
sube el sol a tu seno. Yo, no obstante,
sé que es milagro todo: estaba escrito
que cuidarías cabras en las eras,
que el sol, a tu mirada, se alzaría
y entraría en tus ojos, pero nunca
llegaría a tu entraña. Estaba escrito,
miserable mujer, que en esta noche
de trémula belleza
entre mil nombres soñaría el tuyo.
Sí, se sabía ya desde el comienzo
de estío, desde aquella madrugada
bajo el naciente sol de junio. Un perro
lamía tu alpargata. Tú comías
paciente, resignada, lentamente,
un pedazo de pan, y estaba escrito

que eras ya de mi amor y de mi verso,
que vendrías a mí, desamparado,
una noche como ésta,
de hermosura infinita, tú que nunca
conociste el valor de un adjetivo
ni el vértigo de un tropo, tú que ignoras
la luz, tú que devoras un pedazo
de pan. Estaba escrito.
Pero has venido, mágica, celeste,
eximia, pavorosa, y yo te abro
mi corazón en llanto conmovido.
Ya soy rico de ti, que has comulgado
conmigo la belleza. Te deseo
la salvación en que me salvo a solas:
un instante de luz para tu alma.
Yo daría un minuto, un codiciado
y precioso minuto de mi vida
al Gran Señor, porque un fugaz segundo
te deslumbrara con sus grandes ojos,
con los ojos azules de su noche,
esta noche de todos, ofrecida,
y tan sólo por ti solicitada.

(De *Oratorio del Guadarrama.*)

José María Valverde

Nació el 26 de enero de 1926 en Valencia de Alcántara (Cáceres). Premio de poesía «José Antonio», por su libro *La espera*. Durante unos años fue lector de español en la Universidad de Roma, y posteriormente catedrático de Estética de la Universidad de Barcelona. Actualmente enseña Literatura española en la Universidad de Trent (Canadá).

Obras: *Hombre de Dios*, Madrid, 1947; *La espera*, Madrid, Col. La Encina y el Mar, 1949; *Versos de domingo*, Barcelona, Barna, 1954; *Poesías reunidas*, Madrid, Giner, 1961; *Enseñanzas de la edad*, Barcelona, Seix Barral, 1971.

LA MAÑANA

En la mañana, en su fino y mojado
aire, subes y vuelves a la casa,
con el latir de gente, y los trabajos;
te corona el rumor del mercadillo,
y el carpintero habrá sacado el pote
pegajoso a la puerta, y dará golpes,
y el triciclo de carga va llevando
la buena nueva, porque tú me llegas
con tu cesto, cargada de milagros;
te acompaña la leche, como un niño
que anda mal, que se tiende y que se mancha,
el queso, denso espacio de pureza
concretada y punzante, y el fulgor
antiguo del aceite, la verdura
aún viva, sorprendida mientras duerme,
las patatas mineras y pesadas
de querencia de suelo, los tomates

con fresco escalofrío; los pedazos
crueles de la carne, y un aroma
noble de pan por todo, y su contacto
rugoso de herramienta. Ya se inunda
mi faro pensativo de riquezas,
de materias preciosas; considero
la textura del vino y de la fruta,
estudio mi lección de olores: noto
que todo se hace yo porque los traes
a entrar en mí, y estamos en la mesa
elevados, las cosas y nosotros,
en el nombre del mundo, como pobre
desayuno de Dios, a que nos coma.

NO PERDONA EL RECUERDO

¿Qué región del olvido vuelve ahora?
Ráfagas de niñez, aire punzante
de un rincón o de un mueble o de un instante,
muertos, traen su evidencia ahogadora.

¿Qué me quieres, oh luz de aquella hora?
¿No te sufrí y gocé y soñé bastante?
¿Por qué me asaltas, dura, interrogante?
¿Es que voy a morir? Al fin, reaflora

todo lo que fingí, como al descuido
perder en un asiento del tranvía.
Tal vez, en mi ansia, a medias lo he vivido

y algo añora, y se queja, y desvaría.
No me libertaré con el olvido
de mi eterno infeliz de cada día.

(De *Versos del Domingo.*)

131

VIDA ES ESPERANZA

Basta de *razas ubérrimas, sangre de Hispania fecunda*,
nada de *marcha triunfal*, ni *cortejo*, ni *viejas espadas;*
en *espíritu unidos*, en miseria y *en ansias y lengua*,
siervos dispersos, rumiando, lo más, un pasado de
[mito,
bajo los ojos de Dios, los de lengua española, ¿qué
[somos?
¿Qué hemos dejado en su libro, qué cuentas, qué penas?
Si algo supimos cantar de su gloria en el mundo,
mucho pecamos alzando la cruz como espada (gritaba
el obispo del Cid, al galope: *Ferid, caballeros,
por amor de... el Criador*, dice el texto Pidal; *caridad*,
Per Abbat; ¿qué es peor?), y hasta hoy día retumban
[Cruzadas.
Pague, Señor, cada cual su pecado, y el pueblo,
víctima siempre, se libre de deuda y castigo.
¿De qué sirve el destello del Siglo de Oro al cansado?
¿Y Don Quijote y el buen gobernador Sancho Panza,
de qué, al que no sabe leer ni esperar en un sueño?
Nuestra gente habla y dice: «trabajo», «mañana»,
[«pues claro»,
«los chicos», «es tarde», «el jornal», «un café», «no se
[puede»;
no hay ni cultura europea ni estirpe latina en sus bocas,
sólo el escueto ademán del que afianza la carga en los
[hombros.
El que es siervo no habla español, ni habla inglés, ni
[habla nada;
su palabra es la mano de un náufrago que se agarra a
[las olas,
y las cosas le pesan y embisten sin volverse lenguaje.
Nadie cree ya en pueblos-Mesías, «destinos», «va-
[lores»;
la tierra es un solo clamor, y el niñito en Vietnam o en
[el Congo
llora lo mismo que el niño en Jaén o en los Andes.

Pero el rico es más fuerte que nunca, y su miedo le hace
más hábil y duro, y pretende cerrar el mañana;
se arman los créditos, vuelan alarmas por radio, y, en
[tanto,
se amontona la cólera sacra de pueblos y pueblos.
Y algo se mueve también, con palabra española,
y suena a menudo: «esto no puede seguir así», o algún
[viejo
proverbio con nuevo sabor como: «no hay mal que cien
[años dure».
Y hasta si fuera a valer para un poco de paz y justicia,
más valdría borrar nuestra lengua, nuestro ser, nuestra
[historia.
La esperanza nos llama a poner nuestra voz en el coro
que para todos exige la escasa ración que nos debe la
[vida,
en la historia del hombre, en su ambiguo avanzar, malo
[y bueno,
trabajando y cayendo, pero acaso ayudando a los po-
[bres,
hasta entrar bajo el juicio secreto, el amor enigmático,
la memoria de Dios donde un día las lenguas se fun-
[dan...

(De *Enseñanzas de la edad.*)

José Manuel Caballero Bonald

Nació en Jerez de la Fontera en 1926. Ha sido profesor de la Universidad de Bogotá y secretario de la revista *Papeles de Son Armadans*. Obtuvo el Premio Boscán, de poesía, y el Biblioteca Breve, de novela.

Obras: *Las adivinaciones*, Madrid, Adonais, 1952; *Memorias de poco tiempo*, Madrid, Cultura Hispánica, 1954; *Las horas muertas*, Barcelona, Instituto de Estudios Hispánicos, 1959; *El papel del coro*, Bogotá, Mito, 1961; *Pliegos de cordel*, Barcelona, Colliure, 1962; *Vivir para contarlo*, Barcelona, Seix Barral, 1969.

TENGO BASTANTE CON VIVIR

No me hace falta más que un poco
de fe, que una precaria veta
de esperanza, que un resquicio
de caridad para poder
seguir llamándote
como ahora te digo: patria mía,
piel aciaga de amor, vida quemada
en cada sueño, palabras repetidas
contra un muro de azar.
                              Aquí mi sed
se sacia con mi sed. No necesito
nada: tengo bastante con vivir.

TRANSFIGURACIÓN DE LO PERDIDO

La música convoca las imágenes
del tiempo. ¿Dónde me están
llamando, regresándome
al día implacable?

Nada me pertenece
sino aquello que perdí. Párrafo
libre de ayer, la memoria confluye
sobre un bélico fondo de esperanzas
donde todo se alerta y se transforma
en vida, donde está mi verdad
reciennaciéndose.
                    Oh transfiguración
de lo que ya no existe, rastro
tenaz de lo caduco, cómplice
reclusión de la memoria
que salva el tiempo en cárceles de música.

(De *El papel del coro*.)

ROMANCE DE CIEGO

¿He hablado alguna vez
contigo de verdad? Después
de tantos días
juntos, solos los dos
en aquel pueblo nuestro
que tenía tapias de cal
y viñas y almazaras,
¿te he hablado como el hijo
a la madre? Tanta
distancia, tanto
tiempo contigo,
conviviéndote, haciéndote
palabra mía, tierra
mía olvidada, mantel
de soledad, luz
que desprecia un ciego,
¿y hablé contigo
alguna vez de veras,
te dije alguna vez
lo que yo más quería

decirte, oí
lo que me hablabas?
                    Madre
de los que no te escuchan,
patria callada, ronca
de tanta voz en vano,
grítame con tu boca
que me oyes, bórrame
este romance
de ciego de quererte:
todavía estoy mudo, soy
verdad que te debo
y te escribo llorando.

(De *Pliegos de cordel.*)

Ángel Crespo

Nació en Ciudad Real en 1926. Fundó la revista *Poesía de España*. Desde hace años enseña Literatura española en la Universidad de Mayagüez, Puerto Rico.

Obras: *Una lengua emerge*, Ciudad Real, 1950; *Quedan señales*, Madrid, Neblí, 1952; *La pintura*, Madrid, Ágora, 1955; *Todo está vivo*, Madrid, Ágora, 1956; *Junio feliz*, Madrid, Adonais, 1959; *Suma y sigue*, Barcelona, Colliure, 1962; *Cartas desde un pozo*, Santander, Col. La Isla de los Ratones, 1964; *No sé cómo decirlo*, Madrid, El toro de barro, 1965; *Docena fiorentina*, Madrid, Col. Poesía para todos, 1967.

UN VASO DE AGUA PARA LA MADRE
DE JUAN ALCAIDE

Te recuerdo callando entre mujeres
mientras tu Juan, metido en una caja,
aguardaba los puentes de la tierra.

Yo no le quise ver porque me daba miedo.
No porque de la muerte me estremezca
ni un muerto me dé espanto,
sino porque era Juan con su calva y su frente
y con sus labios gordos y sus manos helándose.

Entonces me dio miedo de estar en Valdepeñas,
de haber llegado en tren por la mañana,
y haber bebido vino antes de verte.
Porque tú estabas quieta en una silla
sin pronunciar un verbo

y con gesto de no importarte nada:
ni yo, ni el tren, ni Valdepeñas,
ni tu hermana, ni el cura, ni los salmos,
ni el maestro que viene y te saluda.

Apenas si sabías dónde estabas,
si en tu casa, en la iglesia con las monjas,
o en el Ayuntamiento pronunciando
un discurso pidiendo que arreglen una calle.

Transitaba la gente por la alcoba
y tú, entonces, pensabas
en que aquél lleva la camisa sucia,
en hilo azul para zurcirla, en niños
que ven un aroplano, en Juan corriendo,
en reparar el mueble de las mantas,
en sentarte en el suelo para morir de prisa.
Cerca estaba tu hijo
y hacían fuerza para alzarle algunos.

(De *Quedan señales.*)

EN SECRETO

Viene contigo, te acompaña,
vuela, se posa, es como un río,
tiene plumas y tiene
olas. No sé nombrarla.

No le va el nombre de los pájaros
ni a su corriente sé dar nombre,
huye de mí, me espera.
Era lo inesperado.

Tiene las anchas sombras
del monte en los olivos, en las viñas,
tiene huellas de lluvia.
Recuerdo más ahora.

Recuerdo al niño triste
y al hombre que a tu lado se alejaba
de sí mismo. Tenía
prisa por descubrirte.

Viene contigo, llega
oliendo a rama y viento y a raíces.
La nombro sin dudar: mi libertad
recobrada me entregas.

(De *Suma y sigue.*)

A FERNANDO PESSOA

Reconozcamos que la vida es así, pero que no hay de-
[recho:
tú el ignorado, tú el reído en las más burdas bocas:
agonizante solitario, quien llorara la muerte de Alves
[el estanquero,
quien escribía para no morir histérico perdido
porque no, porque no comprendía al chico muerto en
con recuerdos de casa en los bolsillos   [guerra
ni la estupidez de la gente
que en los barcos no sabía ver barcos
sino máquinas de posible negociación en ruta,
hipotecadas,
desguazadas,
reducidas a números.

Reconozcamos que tenías un lío enorme en la cabeza:
por eso la quisiste dividir en compartimentos estancos
(a la derecha Ricardo Reis, muy comedido y silencioso,
pensando en su exilio voluntario y escribiendo sus odas
en el talonario de recetas;
a la izquierda el ingeniero Álvaro de Campos,
un caso, un tipo absurdo y lleno de contradicciones,

un posible violador que se retraía en su cueva
y desde allí gritaba su esperanza y su miedo;
en la nuca, Alberto Caeiro, en el lugar en que se apoya
—para dispararlo de pronto— el cañón del revólver,
Alberto, ese pastor de metafísicos rebaños sin metafí-
[sica,
ese mentor de los demás, también de ti, Fernando
[Pessoa,
ocupando la frente para poder tirar de los otros,
entre los cuales Pacheco y Soares,
alojados tal vez dentro de las orejas),
por eso dividiste tus entrañas y tu cabeza,
te convertiste en escenario y compañía de comedias
en apuntador y en transpunte,   [terribles,
en empresario,
en público,
en butaca de la fila cero.
Reconozcamos que no, que no hay derecho:
fue demasiado tarde; desenterraron tus fragmentos,
los fragmentos del tío Fernando,
del primo Fernando,
del inteligente y extraño amigo Fernando Antonio No-
[gueira Pessoa,
del fracasado Fernando impresor,
del gran poeta portugués,
del poeta francés,
del sonetista inglés,
del proclamador de manifiestos escandalosos y excesi-
[vamente sutiles,
del posible político sin candidatura ni distrito electoral,
del cliente
de lecherías y cafés,
del corresponsal de oficinas comerciales,
del fumador y bebedor paciente;
desenterraron los fragmentos, los reunieron, los enca-
los desencajaron, cosieron   [jaron,
adimentos a tu ropa
y te echaron al mundo: un pecado de simonía.

Reconozcamos, pues, que no es así, que por lo menos
                                        [no debe ser así:
yo no quiero continuar, no deseo seguir hablándote,
fingiendo que te hablo para que se enteren los demás,
no quiero, no me da la gana,
guardemos un minuto de silencio,
un año de silencio,
un siglo de violento silencio,
para que después salgas desnudo de las más puras
salgan tus versos de tus labios nuevos   [bocas,
que sabrán imponer silencio y hablar cuanto es preciso
—ni una palabra más—
sobre todos los ruidos.

                                        (De *Cartas desde un pozo.*)

José Ángel Valente

Nació en Orense en 1929; estudió Filosofía y Letras. Fue lector de español en la Universidad de Oxford. En 1954 obtuvo el Premio Adonais por su libro *A modo de esperanza*. Reside en Ginebra.

Obras: *A modo de esperanza*, Madrid, Adonais, 1955; *Poemas a Lázaro*, Madrid, Índice, 1960; *Sobre el lugar del canto*, Barcelona, Col. Colliure, 1963; *La memoria y los signos*, Madrid, Revista de Occidente, 1966; *Siete representaciones*, Barcelona, El Bardo, 1967; *Punto cero*, Barcelona, Barral, 1972; *El fin de la edad de plata*, Barcelona, Seix Barral, 1973; *El inocente*, México, Joaquín Mortiz, 1970; *Interior con figuras*, Barcelona, Ocnos, 1976.

LA VÍSPERA

El hombre despojóse de sí mismo,
también del cinturón, del brazo izquierdo,
de su propia estatura.

Resbaló la mujer sus largas medias,
largas como los ríos o el cansancio.

Nublóse el sueño de deseo

                              Vino
ciego el amor
batiendo un cuerpo anónimo.
                        De nadie
eran la hora ni el lugar
ni el tiempo ni los besos.

Sólo el deseo de entregarse daba
sentido al acto del amor,
pero nunca respuesta.

El humo gris.
              El abandono
                        El alba
como una inmensa retirada.
                        Restos
de vida oscura en un rincón caídos.
Y lo demás vulgar, ocioso.
                        El hombre
púsose en orden natural, alzóse
y tosió humanamente.
                  Aquella hora
de soledad. Vestirse de la víspera.

Sentir duros los límites.
                  Y al cabo
no saber, no poder reconocerse.

                  (De *La memoria y los signos.*)

LA PLAZA

La piedra está
firme y anónima.
Sostienen los pilares
con gravedad la sombra acogedora.

Aquí alguien habló
tal vez a hombres unidos
en la misma esperanza.

Tal vez entonces
tuvo en verdad la vida
cauce común y fue la patria

un nombre más extenso
de la amistad o del amor.
                              Aquí
latía un solo corazón unánime.
Porque fue éste
lugar de descomunales
sueños, repartidas faenas,
palabras pronunciadas
con idéntica fe.

Tal vez sólo por eso
la piedra aún se levanta
donde, piadosamente,
en el aire extinguido,
mi mano toca ahora
la soledad.

                    (De *Poemas a Lázaro.*)

ESTA IMAGEN DE TI

Estabas a mi lado
y más próxima a mí que mis sentidos.

Hablabas desde dentro del amor,
armada de su luz.
                    Nunca palabras
de amor más puras respirara.

Estaba tu cabeza suavemente
inclinada hacia mí.
                    Tu largo pelo
y tu alegre cintura.
Hablabas desde el centro del amor,
armada de su luz,
en una tarde gris de cualquier día.

Memoria de tu voz y de tu cuerpo
mi juventud y mis palabras sean
y esta imagen de ti me sobreviva.

OTRO ANIVERSARIO

Aquella mujer que día a día
combatió por nosotros
y el ascua del hogar tuvo encendida.
Aquellas manos puras sobre el aire
como ala o techo de la vida.
                                    Era
en la infancia terrible o en el llanto
el pan nutricio o la ventana clara.
Aquella voz, la nuestra, que repite
tu nombre cierto contra tanta muerte.
El regazo infantil, la luz segura
del anegado reino.

Cuanto hay de amor en nuestras manos nace
del amor que nos diste.
Forma es de tu memoria, calcinada ceniza.
El duro diamante sobrevive a la noche.

MELANCOLÍA DEL DESTIERRO

Lo peor es creer
que se tiene razón por haberla tenido
o esperar que la historia devane los relojes
y nos devuelva intactos al tiempo en que quisiéramos
que todo comenzase.
Pues ni antes ni después existe ese comienzo
y el presente es su negación y tú su fruto,
hermano consumido en habitar tu sombra.

Lo peor es no ver que la nostalgia
es señal del engaño o que este otoño
la misma sangre que tuvimos canta
más cierta en otros labios.

Y peor es aún ascender como un globo,
quedarse a medio cielo,

deshincharse despacio,
caer en los tejados de espaldas a la plaza,
no volver al gran día.

La gloria de aquel acto
era toda futura.
                    Pero tú olvidas cuanto
pusiste en él, mientras los muertos
brotando están a flor de tierra ahora
para hacer con sus manos
la casa, el pan y la mañana nuestra.

Y tú en tu otoño de recordatorios,
en tu rosario quieto,
igual que un héroe de metal fundido,
famoso en unos pocos
metros a la redonda,
ilustre en ignorancia de la hora inmediata
y casi sordo de tristeza.
                    Pienso
si no supiste combatir,
si no te defendiste por donde más te herían
o si acaso ignorabas que el destierro es a veces
más cruel que la muerte.

Sobremueres.
                    Te han vendido a ti mismo,
a tu perfil lejano entre metralla y cantos
o te has dejado herir con un solo disparo
de luz petrificada en la boca del alma.

                    (De *La memoria y los signos.*)

Jaime Ferrán

Nació en Cervera (Lérida) en 1928. Estudió Derecho.
Actualmente es profesor de Literatura Española en la Universidad de Syracusa (Estados Unidos). Es Premio de poesía
«Ciudad de Barcelona».

Obras: *Desde esta orilla*, Madrid, Adonais, 1953; *Poemas
del viajero*, Barcelona, 1954; *Descubrimiento de América*,
Madrid, Editoria Nacional, 1957; *Canciones para Dulcinea*,
Madrid, 1959; *Nuevas cantigas*, Madrid, Adonais, 1967;
Tarde de circo, Madrid, Editora Nacional, 1967; *Memorial*,
León, Col. Provincia, 1972.

VIVIR

Vivir es la costumbre de ir muriendo,
de no saber morir. Es la costumbre.
Un pájaro de fuego cuya lumbre
abrasa el alma mientras va cayendo.

Vivir es atender desatendiendo
la llanura por ir hacia la cumbre.
Es inquirir entre la muchedumbre
la senda que se irá desvaneciendo.

Es búsqueda y hallazgo a cada paso
para seguir buscando y encontrando
la misma aurora, el sol, el mismo ocaso.

Es poder descansar sin saber cuándo.
Sin saber. Aquí. Siempre. En cada caso
para seguir muriendo y esperando.

SEGOVIA

Alma de luz, Segovia. Tierra erguida
que por el aire, desterrada, vuela.
El horizonte otea, centinela,
tu hosca piedra grajera y encendida.

Por los caminos de tu paz dormida
el corazón, como una sombra, vela.
A la alameda inquieta y verde cela
tu alameda de roca detenida.

El Eresma te cerca. Con un gesto
manso de amor desciende la solana.
Pero tu cuerpo enhiesto y siempre enhiesto

sueña una primavera más lejana.
Cuerpo de amor, al sol, al viento expuesto.
Alta y muda Segovia castellana.

(De *Desde esta orilla.*)

Jaime Gil de Biedma

Nació en Barcelona, en 1929. En 1951 se licenció en Derecho en la Universidad de Salamanca. Reside en Barcelona.

Obras: *Compañeros de viaje*, Col. Fe de Vida, Joaquín Horta editor, Barcelona, 1959; *En favor de Venus*, Barcelona, Col. Colliure, 1965; *Poemas póstumos*, Madrid, Col. Poesía para todos, 1969; *Moralidades*, México, Joaquín Mortiz, 1969; *Las personas del verbo*, Barcelona, Barral, 1975.

VALS DEL ANIVERSARIO

Nada hay tan dulce como una habitación
para dos (cuando ya no nos queremos demasiado)
fuera de la ciudad, en un hotel tranquilo,
y parejas dudosas y algún niño con ganglios,

si no es esta ligera sensación
de irrealidad. Algo como el verano
en casa de mis padres, hace tiempo,
como viajes en tren por la noche. Te llamo

para decir que no te digo nada
que tú ya no conozcas, o si acaso
para besarte vagamente
los mismos labios.

Has dejado el balcón.
Ha oscurecido el cuarto

mientras que nos miramos tiernamente, incómodos
de no sentir el peso de los años.

Todo es igual, parece
que no fue ayer. Y este sabor nostálgico
que los silencios ponen en la boca
posiblemente induce a equivocarnos

en nuestros sentimientos. Pero no
sin alguna reserva, porque por debajo
algo tira más fuerte y es (para decirlo
quizá de un modo menos inexacto)

difícil recordar que nos queremos,
si no es con cierta imprecisión, y el sábado
que es hoy, queda tan cerca
de ayer a última hora y de pasado

mañana
por la mañana

(De *Compañeros de viaje.*)

PÍOS DESEOS AL EMPEZAR EL AÑO

Pasada ya la cumbre de la vida,
justo del otro lado, yo contemplo
un paisaje no exento de belleza
en los días de sol, pero en invierno inhóspito.
Aquí sería dulce levantar la casa
que en otros climas no necesité,
aprendiendo a ser casto y a estar solo.
Un orden de vivir, es la sabiduría.
Y qué estremecimiento,
purificado, me recorrería
mientras que atiendo al mundo
de otro modo mejor, menos intenso,
y medito a las horas tranquilas de la noche,

cuando el tiempo convida a los estudios nobles,
el severo discurso de las ideologías
—o la advertencia de las constelaciones
en la bóveda azul...
Aunque el placer del pensamiento abstracto
es lo mismo que todos los placeres:
reino de juventud.

HIMNO A LA JUVENTUD

Heu! quantum per se candida forma valet!
(Propercio, II, 29, 30)

A qué vienes ahora,
juventud,
encanto descarado de la vida?
Qué te trae a la playa?
Estábamos tranquilos los mayores
y tú vienes a herirnos, reviviendo
los más temibles sueños imposibles,
tú vienes para hurgarnos las imaginaciones.

De las ondas surgida,
toda brillos, fulgor, sensación pura
y ondulaciones de animal latente,
hacia la orilla avanzas
con sonrosados pechos diminutos,
con nalgas maliciosas lo mismo que sonrisas,
oh diosa esbelta de tobillos gruesos,
y con la insinuación
(tan propiamente tuya)
del vientre dando paso al nacimiento
de los muslos: belleza delicada,
precisa e indecisa,
donde posar la frente derramando lágrimas.

Y te vemos llegar, figuración
de un fabuloso espacio ribereño

151

con toros, caracolas y delfines,
sobre la arena blanda, entre la mar y el cielo,
aún trémula de gotas,
deslumbrada de sol y sonriendo.

Nos anuncias el reino de la vida,
el sueño de otra vida, más intensa y más libre,
sin deseo enconado como un remordimiento
—sin deseo de ti, sofisticada
bestezuela infantil en quien coinciden
la directa belleza de la *starlet*
y la graciosa timidez del príncipe.

Aunque de pronto frunzas
la frente que atormenta un pensamiento
conmovedor y obtuso,
y volviendo hacia el mar tu rostro donde brilla
entre mojadas mechas rubias
la expresión melancólica de Antínoos,
oh bella indiferente,
por la playa caminas como si no supieses
que te siguen los hombres y los perros,
los dioses y los ángeles
y los arcángeles,
los tronos, las abominaciones...

(De *Poemas póstumos.*)

María Elvira Lacaci

Nació en El Ferrol, de familia de marinos. Obtuvo el Premio Adonais en 1956. Premio de la Crítica en 1964. Reside en Madrid.

Obras: *Humana voz*, Madrid, Adonais, 1957; *Sonido de Dios*, Madrid, Adonais, 1962; *Al este de la ciudad*, Barcelona, Flors, 1963.

A LA POESÍA

Me siento vagabunda de las Letras.
Quiero comer mi pan con el mendigo.
Beber el vino de todos.
Tomar el sol.
tendida
sobre la hierba húmeda.
Tener una guitarra
con cuerdas de latidos. Entregados.
Tocarla por los pueblos.
Que los hombres —de colores distintos—
bailen al son de ella
con sus modales
toscos
y su verdad sencilla
a flor de labio.

24 DE DICIEMBRE EN EL SUBURBIO

Y era un Belén. Auténtico.
Mis ojos
acariciaban ávidos
vuestro incesante ir
sobre la tierra, el barro, los pedruscos.
Y resucitasteis
el caliente cadáver de mi infancia.
Os veía blanquísimos,
descargando los sacos de harina —«¡Mis molineros!»,
También los carboneros   [exclamé con júbilo—.
tenían su misión sobre el paisaje.
Y las mujeres todas, menudas, pero ágiles, portadoras
                                          [de algo
—la bolsa con patatas, la botella de aceite, la garrafa
                                          [del vino...—.
(Ya casi adivinaba mis largos ríos de papel de plata.)
Los perros vagabundos,
desbordantes criaturas de mansedumbre amarga,
parecían ovejas. Y hasta la nieve
adornaba la cima de las casitas bajas y sus ventanucos
—como la harina leve sobre el corcho de mi Nacimien-
                                          [to—.
Pensé que todos ibais a la cita con Cristo, igual que los
curtidos y morenos,   [pastores,
con vuestra ofrenda única:
El cotidiano hacer de cada día.

(De *Al este de la ciudad.*)

Claudio Rodríguez

Nació en Zamora en 1934. Estudió Filosofía y Letras. Ha sido lector de español en la Universidad de Cambridge desde 1959 a 1964. En 1953 obtuvo el Premio Adonais de poesía.

Obras: *Don de la ebriedad*, Madrid, Adonais, 1954; *Conjuros*, Santander, Cantalapiedra, 1958; *Alianza y condena*, Madrid, Revista de Occidente, 1965; *Poesía* (1953-1966), Barcelona, Plaza Janés, 1971; *El vuelo de la celebración*, Madrid, Visor, 1976.

ANTE UNA PARED DE ADOBE

Tierra de eterno regadío, ahora
que es el tiempo de arar, ¿eres tú campo,
te abres al grano como entonces, sientes
aquel tempero? En vano
cobijarás con humildad al hombre.
Vuelve a la fe de la faena, a tu amo
de siempre, al suelo de Osma.
¿Y aquel riego tan claro
muy de mañana, el más beneficioso?
Creía yo que aún era verano
por mis andanzas, y heme
buscando techo. Oh, tú, que vas a dármelo
para hoy y muy pronto para siempre,
adobe con el cielo encima, a salvo
del aire que madura y del que agosta,
¿a qué sol te secaste, con qué manos
como estas mías tan feraz te hicieron

155

con cuántos sueños nuestros te empujaron?
¡Mejor la sal, mejor cualquier pedrisca
que verte así, hecho andamio
de mi esperanza! Pero venid todos.
La tarde va a caer. ¡Estaos al raso
conmigo! ¡Aún no tocadle! Ya algún día,
surco en pie, palmo a palmo
abriremos en ti una gran ventana
para ver las cosechas, como cuando
sólo eras tierra de labor y ahora
rompías hacia el sol bajo el arado.

PINAR AMANECIDO

Viajero, tú nunca
te olvidarás si pisas estas tierras
del pino.
Cuánta salud, cuánto aire
limpio nos da. ¿No sientes
junto al pinar la cura,
el claro respirar del pulmón nuevo,
el fresco riego de la vida? Eso
es lo que importa. ¡Pino piñonero,
que llegue a la ciudad y sólo vea
la cercanía hermosa
del hombre! ¡Todos juntos,
pared contra pared, todos del brazo
por las calles
esperando las bodas
de corazón!
¡Que vea, vea el corro
de los niños, y oiga
la alegría!
¡Todos cogidos de la mano, todos
cogidos de la vida
en torno
de la humildad del hombre!

Ah, solidaridad. Ah, tú, paloma
madre: mete el buen pico,
mete el buen grano hermoso
hasta el buche a tus crías!
Y ahora, viajero,
al cantar por segunda vez el gallo,
ve al pinar y allí espérame.
¡Bajo este coro eterno
de las doncellas de la amanecida,
de los fiesteros mozos del sol cárdeno,
tronco a tronco, hombre a hombre,
pinar, ciudad, cantemos:
que el amor nos ha unido
pino por pino, casa
por casa!
¡Nunca digamos la verdad en esta
sagrada hora del día!
¡Pobre de aquel que mire
y vea claro, vea
entrar a saco en el pinar la inmensa
justicia de la luz, esté en el sitio
que a la ciudad ha puesto la audaz horda
de las estrellas, la implacable hueste
del espacio!
¡Pobre de aquel que vea
que lo que une es la defensa, el miedo!
¡Un paso al frente el que ose
mirar la faz de la pureza, alzarle
la infantil falda casta
a la alegría!
Ah, sutil añagaza, ruin chanchullo,
bien adobado cebo
de la apariencia.
¿Donde el amor, dónde el valor, ah, dónde
la compañía? ¡Viajero,
sigue cantando la amistad dichosa
en el pinar amaneciente! ¡Nunca
creas esto que he dicho,

canta y canta! ¡Tú nunca
digas por estas tierras
que hay poco amor y mucho miedo siempre!

(De *Conjuros.*)

CIUDAD DE MESETA

Como por estos sitios
tan sano aire no hay, pero no vengo
a curarme de nada.
Vengo a saber qué hazaña
vibra en la luz, qué rebelión oscura
nos arrasa hoy la vida.
Aquí ya no hay banderas,
ni murallas, ni torres, como si ahora
pudiera todo resistir el ímpetu
de la tierra, el saqueo
del cielo. Y se nos barre
la vista, es nuestro cuerpo
mercado franco, nuestra voz vivienda
y el amor y los años
puertas para uno y para mil que entrasen.
Sí, tan sin suelo siempre,
cuando hoy andamos por las viejas calles
el talón se nos tiñe
de uva nueva, y oímos
desbordar bien sé qué aguas
el rumoroso cauce del oído.

Es la alianza: este aire
montaraz, con tensión de compañía.
Y a saber qué distancia
hay de hombre a hombre, de una vida a otra,
qué planetaria dimensión separa
dos latidos, qué inmensa lejanía
hay entre dos miradas

o de la boca al beso.
¿Para qué tantos planos
sórdidos, de ciudades bien trazadas
junto a ríos, fundadas
en la separación, en el orgullo
roquero?
Jamás casas: barracas,
jamás calles: trincheras,
jamás jornal: soldada.
¿De qué ha servido tanta
plaza fuerte, hondo foso, recia almena,
amurallado cerco?
El temor, la defensa,
el interés y la venganza, el odio,
la soledad: he aquí lo que nos hizo
vivir en vecindad, no en compañía.
Tal es la cruel escena
que nos dejaron por herencia. Entonces,
¿cómo fortificar aquí la vida
si ella es solo alianza?

Héme ante tus murallas,
fronteriza ciudad a la que siempre
el cielo sin cesar desasosiega.
Vieja ambición que ahora
sólo admira el turista o el arqueólogo
o quien gusta de timbres y blasones.
Esto no es monumento
nacional, sino luz de alta planicie,
aire fresco que riega el pulmón árido
y lo ensancha, y lo hace
total entrega renovada, patria
a campo abierto. Aquí no hay costas, mares
Norte ni Sur; aquí todo es materia
de cosecha. Y si dentro
de poco llega la hora de la ida,
adiós al fuerte anillo
de aire y oro de alianza, adiós al cerro

que no es baluarte, sino compañía,
adiós a tantos hombres
hasta hoy sin rescate. Porque todo
se rinde en derredor y no hay fronteras,
ni distancia, ni historia.
Sólo el voraz espacio y el relente de octubre
sobre estos altos campos
de nuestra tierra.

(De *Alianza y condena.)*

Manuel Vázquez Montalbán

Nació en Barcelona, en 1939. Graduado en Periodismo en la Escuela Oficial de Madrid, y licenciado en Letras por la Universidad de Barcelona. Obtuvo el premio Vizcaya de poesía de 1969 con su libro *Movimientos sin éxito*. Cultiva también la novela, el ensayo y la crónica peridística.

Obras: *Una educación sentimental*, Barcelona, El Bardo, 1967 (2.ª edición aumentada, 1970); *Movimientos sin éxito*, Barcelona, El Bardo, 1969); *A la sombra de las muchachas en flor*, Barcelona, El Bardo, 1973; *Coplas a la muerte de mi tía Daniela*, Barcelona, El Bardo, 1973.

ARS AMANDI

VII

En nuestro fin empiezan
los dietarios, de pronto las aceras
sin portales, tranvías que no van
a alguna parte, semáforos
que urgen
           noches sin adjetivar

gentes de siempre, otra vez
la sonrisa social que no necesitamos
ahora, el buenos días sin piedad

a la orilla del teléfono
                partirán
balandros con regreso, besos quizá

bajo pérgolas, lento jazz, petirrojos
que cantan en diciembre
                                        o amor
en habitaciones con lirios apagados

de vez en cuando el corazón
falseará un latido
                                donde habita
el olvido temblarán los jaramagos, ruinas
de esta habitación, no quedará piedra
sobre lirio
                        ni siquiera miedo a perder
algo
porque en nuestro fin empieza todo
lo que de gris ayer vestimos, los días
ordenados, dispuestos como un ejército
pequeño siempre derrotado
                                        de siempre
el esperado día sin retorno, éste tal vez
éste si tú quieres
                            indefenso como un mito.

XIV

Será la muerte un papel
amarillo que flota un instante
en la ventana, troles temblones
y un chasquido de navaja cerrada

o lentos niños persiguiendo sombreros
negros por las cloacas
                                    ratas dormidas
bajo la fría oscuridad del otoño
subterráneo, pedazos de cuna, media
sonrisa envuelta en un papel
                                            amarillo
que flota un instante entre la grasa
                                                    despierta,
lejana, despierta

                    huele la noche a seto
de jardín recortado como un laberinto
y la estancia a lirios marchitos
                              hueles
a hierba mojada y a asfalto limpio.

            (De *Una educación sentimental.*)

SU PIEL ANCIANA BIEN CUIDADA

El verdugo ha envejecido
pasea a sus nietos por el parque
da alpiste a las palomas
posa frente al flash de incienso
su piel anciana bien cuidada
sonríe con placidez de obra cumplida
                                    busca
la nada fugitiva de los remansos
recuerda bien
                  miente incluso olvida
y hasta sus víctimas
                        desenlutan el odio
sólo a veces el verdugo se pudre
en las venecianas aguas de mi espejo roto.

        (De *A la sombra de las muchachas en flor.*)

Ángel González

Nació en Oviedo en 1925. Licenciado en Derecho. Obtuvo el Premio de poesía «Antonio Machado» en 1962. Reside en Estados Unidos, como profesor de Universidad.

Obras: *Áspero mundo*, Madrid, Adonais, 1956; *Sin esperanza, con convencimiento*, Barcelona, Colliure, 1961; *Grado elemental*, París Ruedo Ibérico, 1962; *Tratado de urbanismo*, Barcelona, El Bardo, 1967; *Palabra sobre palabra*, Barcelona, Seix Barral, 1972; *Procedimientos narrativos*, Santander, 1972; *Muestra de...*, Madrid, Turner, 1976.

EL DERROTADO

Atrás quedaron los escombros:
humeantes pedazos de tu casa,
veranos incendiados, sangre seca
sobre la que se ceba —último buitre—
el viento.

Tú emprendes viaje hacia adelante, hacia
el tiempo bien llamado porvenir.
Porque ninguna tierra
posees,
porque ninguna patria
es ni será jamás la tuya,
porque en ningún país
puede arraigar tu corazón deshabitado.

Nunca —y es tan sencillo—
podrás abrir una cancela

y decir, nada más: «buen día,
madre».
Aunque efectivamente el día sea bueno,
haya trigo en las eras
y los árboles
extiendan hacia ti sus fatigadas
ramas, ofreciéndote
frutos o sombras para que descanses.

SONETO

Donde pongo la vida pongo el fuego
de mi pasión volcada y sin salida.
Donde tengo el amor, toco la herida.
Donde dejo la fe, me pongo en juego.

Pongo en juego mi vida, y pierdo, y luego
vuelvo a empezar, sin vida, otra partida.
Perdida la de ayer, la de hoy perdida,
no me doy por vencido, y sigo, y juego

lo que me queda: un resto de esperanza.
Al siempre va. Mantengo mi postura.
Si sale nunca, la esperanza es muerte.

Si sale amor, la primavera avanza.
Pero nunca o amor, mi fe segura:
jamás o llanto, pero mi fe fuerte.

(De *Sin esperanza, con convencimiento.*)

ASÍ NUNCA VOLVIÓ A SER

Como llevaba trenza
la llamábamos trencita en la tarde del jueves.
Jugábamos a montarnos en ella y nos llevaba
a una extraña región de la que nunca volveríamos.

Porque es casi imposible abandonar
aquel olor a tierra de su cabello sucio,
sus ásperas rodillas todavía con polvo
y con sangre de la última caída
y, sobre todo,
la nacarada nuca donde se demoraban
unas gotas de luz cuando ya luz no había.
Allí me dejó un día de verano
y jamás regresó
a recoger mi insomne pensamiento
que desde entonces vaga por sus brazos
corrigiendo su ruta, terco y contradictorio,
lo mismo que una hormiga que no sabe salir
de la rama de un árbol en el que se ha perdido.

(De *Breves acotaciones para una biografía.*)

Eladio Cabañero

Nació en Tomelloso (Ciudad Real) en 1930. Reside en Madrid, donde trabaja para una editorial.

Obras: *Desde el sol y la anchura*, Tomelloso, 1956; *Una señal de amor*, Madrid, Adonais, 1958; *Recordatorio*, Madrid, Palabra y Tiempo, 1961; *Marisa sabía y otros poemas*, Madrid, 1963; *Poesía* (1956-1970), Barcelona, Plaza & Janés, 1970.

ESE HOMBRE DEL PUENTE

Desde el puente miraba...
Pensaría quien lo viera que era pobre,
más que por los zapatos y la ropa
o no tener asuntos más urgentes
en que ocuparse,
por el descaro triste de sus ojos
cansados de ver mundo.

Allí estaba —quizá desde otros tiempos—
mirando; en la cartera
llevaba un documento con su nombre,
en su conducta un bache y el problema
de pensar y pensar, quién sabe, en cosas
que no han de conocer las demás gentes.

Es ese hombre del puente que ahora mira
distraído, allá abajo extendida,
la ciudad retirándose hacia el viento

o marejada de la tarde... Se veía
por la izquierda una iglesia derrotada,
a proa un parque, porque parecía
una nave sin anclas el paisaje
desde el punete.

Allá él si se fue, como se marchan
las nubes del crepúsculo a morirse
a otras tierras lejanas,
o no se fue.
Sé que esta tarde mira,
acodado en sí mismo, cómo parten
sus naves,
cómo sus ojos, hartos de ver mundo,
suben por la corriente del paisaje,
cómo va navegando
hacia otros puertos, lento, como un ave
que se pierde en la niebla para siempre.

EL HOMBRE

El hombre hacia el Oeste es una hoguera
que el viento —el tiempo en crines extendidas—
arrastra a galopar lejos, sin bridas,
como un caballo oscuro, a la carrera.

Como una oculta nave timonera
repta sus aguas. No sabe qué heridas
le duelen más, qué muertes ni qué vidas,
sólo como una piedra de cantera.

Lleva un trozo de amor deshilachado
en los bolsillos, sueña el ciego anhelo
de encomendar a un hijo esta aventura.

A veces es un perro apaleado
que arrastra su dolor, pegado al suelo,
oliendo ya su propia sepultura.

(De *Recordatorio.*)

José Agustín Goytisolo

Nació en Barcelona en 1928. Es licenciado en Derecho. Ha obtenido los premios de poesía Boscán y Ausías March. Reside en Barcelona.

Obras: *El retorno*, Madrid, Adonais, 1955; *Salmos al viento*, Barcelona, Instituto de Estudios Hispánicos, 1958; *Claridad*, Valencia, 1961; *Años decisivos*, Barcelona, Colliure, 1961; *Algo sucede*, Barcelona, El Bardo, 1968; *Taller de arquitectura*, Barcelona, Lumen, El Bardo, 1977.

LA GUERRA

De pronto, el aire
se abatió, encendido,
cayó como una espada
sobre la tierra. ¡Oh, sí,
recuerdo los clamores!

Entre el humo y la sangre,
miré los muros
de la patria mía,
como ciego miré
por todas partes,
buscando un pecho,
una palabra, algo,
donde esconder el llanto.

Y encontré sólo muerte, ruina y muerte
bajo el cielo vacío.

(De *Años decisivos*.)

EL OFICIO DEL POETA

Contemplar las palabras
sobre el papel escritas,
medirlas, sopesar
su cuerpo en el conjunto
del poema, y después,
igual que un artesano,
separarse a mirar
cómo la luz emerge
de la sutil textura.

Así es el viejo oficio
del poeta, que comienza
en la idea, en el soplo
sobre el polvo infinito
de la memoria, sobre
la experiencia vivida,
la historia, los deseos,
las pasiones del hombre.

La materia del canto
nos lo ha ofrecido el pueblo
con su voz. Devolvamos
las palabras reunidas
a su auténtico dueño.

NADIE ESTÁ SOLO

En este mismo instante
hay un hombre que sufre,
un hombre torturado
tan sólo por amar
la libertad.
            Ignoro
dónde vive, qué lengua
habla, de qué color

tiene la piel, cómo
se llama, pero
en este mismo instante,
cuando tus ojos leen
mi pequeño poema,
ese hombre existe, grita,
se puede oír su llanto
de animal acosado,
mientras muerde sus labios
para no denunciar
a los amigos. ¿Oyes?

Un hombre solo
grita maniatado, existe
en algún sitio.
                ¿He dicho solo?
¿No sientes, como yo,
el dolor de su cuerpo
repetido en el tuyo?
¿No te mana la sangre
bajo los golpes ciegos?

Nadie está solo. Ahora,
en este mismo instante,
también a ti y a mí
nos tienen maniatados.

(De *Algo sucede.*)

Manuel Mantero

Nació en Sevilla en 1930. Profesor de la Universidad de Madrid y Premio Nacional de Literatura «Gustavo Adolfo Bécquer». Es profesor de Literatura española en la Universidad de Georgia (Estados Unidos).

Obras: *Mínima del ciprés y los labios*, Arcos, Alcavarán, 1958; *Tiempo del hombre*, Madrid, Ágora, 1960; *La lámpara común*, Madrid, Adonais, 1962; *Misa solemne*, Madrid, Editora Nacional, 1965; *Poesía* (1958-1971), Barcelona, Plaza Janés, 1972; *Yo quiero amanecer*, Madrid, Col. Dulcinea, 1976.

EVANGELIO DEL DÍA

En aquel tiempo
un joven se acercó a Jesús
entre la turba.
Por sus ropas y el uso de su hablar
supieron todos que era de otra tierra.

—Señor, ¿qué haré
para salvarme?

—Sé puro.

(¡Oh lecho sosteniendo barro y llama,
airadas ingles,
lucha sin fin; azada y cúpula!).

El joven contestó:
—Señor, soy puro; ¿basta
con eso?

Y Jesús: —Deja
tus riquezas y sígueme.

(¡Palacios, terciopelos y jardines,
vino en cristal tallado,
joyas para el honor o la delicia,
seguridades de color de púrpura!).

Y el joven contestó:
—Soy rico, pero todo
lo dejaría, bien lo sé, por Ti.

Jesús
lo miró dulcemente.
Le preguntó:
—¿En qué país
naciste?

—Señor —respondió el joven—,
nací en España.

Y. Jesús: —Deja a España
y sígueme.

(¡La estrella, el patio y el silencio,
la roca entre el olor de la maleza,
la piel herida de la madre,
la entraña y la esperanza y el clavel,
llaga de amor con desamor basada,
patria de fe, glorioso matadero!).

El joven
volvió sobre sus pasos,
bajó la frente y empezó a llorar.

A QUÉ TANTO CUIDAR LA CASA

A qué tanto cuidar la casa,
regar las flores,
ponerles toldos a la luz del patio,
quitar el polvo de los espejos. Oye
latir la sangre general afuera,
abandona la mesa donde comes,
trepa por las columnas al tejado,
aráñate, hazte niño como entonces,
mira a lo lejos cuando estés arriba,
asume el horizonte.
Con el aire de todos
llénate los pulmones.
Alguien, que vive dentro
de la muerte del hombre,
quedará abajo. Inútil, mudo y pálido,
él regará tus flores.

(De *La lámpara común.*)

ACCIÓN DE GRACIAS

Aquella tarde
lo supo:
«cáncer». El médico,
con mano solidaria, lo retuvo
del brazo unos segundos en la puerta.
Salió a la calle, cálido, seguro.

Ya en su casa, explicó a su esposa
lo irremediable de su mal, el justo
plazo que le quedaba de vivir.
Dijo adiós a los suyos
y fue a cumplir el caro débito,
fugaz caudillo de su tiempo único.

Buscó en Toledo el sitio donde un día,
cara a cara, miró los ojos húmedos
de Dios surgiendo de un amanecer
violeta sobre el Tajo, y allí puso
un búcaro, unas flores
y con agua del Tajo llenó el búcaro.

En Cádiz, en la playa
donde una noche caminó sin rumbo
loco de paz y música
hasta encontrar su verso y su futuro,
depositó en la arena el viejo lápiz
con el que quiso desvelar el mundo.

Ante el cancel de un patio de Sevilla
—allí besó por vez primera y pudo
abrir en brillos una ardida carne—,
sonrió, e introdujo
su libro más amado (oh Bécquer) entre
los hierros del cancel oscuro.

Estrelló contra el techo de un tranvía
de Madrid un racimo de uvas: zumo
llovido, gotas que bebió en memoria
de cierto instante mágico y difuso;
todos cantaban —recordó— y bebían
a la salud anónima de alguno,
mientras iba el tranvía
en la mañana hermosa, dando tumbos
de gloria y alma vareándose
con luz de sol y júbilo.

En Barcelona,
escribió sobre el muro
de un antro
dos nombres juntos,
el suyo y el de aquella prostituta
que hizo cielo del suelo, amor del uso.

Con esto,
habiendo ya ofrecido a Dios los puros
dones que le debiera por las dichas
pendientes, regresó a los suyos,
la pistola pidió y dejó la vida,
como quien deja la cosecha a punto.

(De *Misa solemne.*)

Fernando Quiñones

Poeta y cuentista, nació en Chiclana (Cádiz) en 1931. Dirigió la revista gaditana de poesía *Platero*, y ha obtenido varios premios literarios, entre ellos el «Sésamo» de cuentos y el «Leopoldo Panero» de poesía.

Obras: *Ascanio o libro de las flores*, Málaga, Col. A quien conmigo va, 1956; *Cercanía de la gracia*, Madrid, Adonais, 1957; *Retratos violentos*, Arcos de la Frontera, Col. Alcavarán, 1963; *En vida*, Madrid, Cultura Hispánica, 1964; *Las Crónicas de Al-Andalus*, Barcelona, Col. Ocnos, 1970; *Las crónicas americanas*, Madrid, Col. Aguaribay, 1973; *Crónicas del 40*, Madrid, Hiperión, 1977.

EL REQUERIDO

No la razón del piano: las del hombre
te condujeron desde que eras niño
y entre la fría luz de la patria angustiada
a la que no habías de volver.

Ya entonces intuiste la caediza
ráfaga del amor, la carrera del tiempo,
los impuros motivos del tambor y las armas,
la soledad en que, como con el regalo
de un dios inexorable,
se mueve nuestra vida hacia su término.
Ya retenías aquello en el sollozo,
más viril y más tierno, de las cuerdas.
Ya eras del todo y para siempre tú,
testigo y mensajero, condolido inventor
de una esperanza para los humanos
o de aquel llanto en luz con que creerla.

Tu vida no fue oscura, pero entre
las galas, los viajes, algo anterior aún
a tu enfermedad, iba
irreparablemente consumiéndote
y haciéndote mayor al mismo tiempo.
Scherzos y baladas, las amargas
delicias de un nocturno, los estudios
por los que nieve y fuego, o muerte y vida,
se entrecruzan temblando,
eran emanación de aquella fuerza
con la que el corazón del universo,
cuanto nos ilumina y abandona,
expresión te pedían, ser fijados
de alguna forma, a salvo de la muerte.

Eso te desgarró y nos dio tu música:
tu palabra de hombre
de una vida más vasta y más completa.

BODEGÓN CON PECES

En la extensión mojada,
lejos de las habitaciones y las leyes,
desveló el nuevo día,
alto ya el sol, una congoja
de salinas y esteros extasiados, de rostros
quemados en el mar, de vida quieta
y esperante, bajo la luz del Sur.

Había una charca negra. Los cardúmenes,
desposeídos antes de su casa sin límite,
arreados más tarde
por las grandes cuadrículas amargas de la sal,
giraban en silencio; hacia la superficie
se conmovió lo negro de repente
en vastos y callados remolinos, como si contuviera
una culpa incallable, mas no llegó a brillar

178

un anhelante lomo que del aire
lo esperase aún todo.

Hundiéndose hasta el pecho entonces
en los limos inmemoriales,
un hombre, cinco, siete, trabaron ya las aguas,
las mallas, las señales
del terror; todo comenzó a hervir
y el estéril fragor de los saltos subía,
en columna de cuerpos traicionados,
hasta colmar la oscura lancha, las riberas,
el húmedo y desierto amanecer.

Cuánta vida acosada,
pugnando por salverse, debatía
una batalla desoída y múltiple
de vanas contorsiones, inútiles
maniobras, intentos
contra la trampa última,
sólo a una anticipada muerte conducentes.

Y al cabo, la quietud, una vacía paz, el premio
de perecer sin desearlo,
bajaron y acallaron el injuriado día
sobre el que se sentaron de nuevo el silencio y las horas.

(De *En vida.*)

LA CÁRCEL

«Los vientos y las tormentas de la lucha.»

Mao.

Finalmente el partido
de los señores, la oligarquía
cordobesa, me hizo prender.

Ahora la noche es larga. En pie,
boca y nariz en la rejilla,
la frente contra el muro caldeado,
pienso, respiro del pensil vecino
las flores de la libertad.

Por las mañanas me despierta a ratos
el lingote de sol que cruza
todo el negror del calabozo
(el otro muro lo sostiene
como a un sueño de poder)

y a la tarde, en el atestado
patio común,
ríen los guardias y con el sorteo
de quienes deberán despejar las letrinas
se deciden también los nombres
que han de sacarnos desde aquí
a los vientos y a las tormentas de la lucha.

(De *Las crónicas de Al-Andalus*.)

5

Le retiró la mano de los ojos
el padre, pasó ante los sentados.

Con el alba, ese ventarrón
del río
y *la pesada carga del alma*.

El café, breve sima negra,
corría junto al mate entre las torpes
quejas supervivientes.

De las luces de aceite por el suelo
salía un poder antiguo que arrollaba
el de la luz del comedor vecino

y enteramente dominados ya
los párpados que no querían cerrarse,
a la muertita, grande en el ataúd, se le vinieron
años que nunca habría de cumplir,
aires, palabras, cifras de tiempo no arribado,
se le posó el futuro en las varadas
mejillas.

No fue aquélla su muerte,
no le correspondía,
no lo fue.

Nadie pudo notarlo
y de algún modo estaba ya
haciéndose almacén, farol, esquina,
agua leonada del puerto,
mensajería de árboles y alas,
diseminándose por el plano,
convirtiéndose en Buenos Aires.

(De *Las crónicas americanas.*)

Mariano Roldán

Nació en Rute (Córdoba), en 1932. Licenciado en Derecho. Reside en Madrid. Obtuvo el Premio «Luis de Góngora» de 1959 y el Premio «Adonais» de 1960 con su libro *Hombre nuevo*.

Obras: *Uno que pasaba*, Col. Alcavarán, Arcos de la Fontera, 1957; *La realidad*, Col. Veleta al Sur, Granada, 1959; *Hombre nuevo*, Col. Adonais, Madrid, 1961; *Ley del canto*, Col. Ínsula, Madrid, 1970; *Poesía (1953-1973)*, Plaza Janés, Barcelona, 1974: *Elegías convencionales*, Colección Dulcinea, Madrid, 1974; *Alerta, amantes*, Madrid, Col. Dulcinea, 1977.

Ha publicado también una antología de poesía del toro, y una traducción de poemas de Antonia Pozzi.

LOS PARIAS

En un recodo de la plaza están:
reyes de risa, dioses de miseria.

Sucio tambor redobla
entre las manos de la madre encinta,
mientras la adolescente se acompasa
—la flor ajada, el colorete—
al metálico son que le hace el padre
con la trompeta
que gime, aguda, la inutilidad
de unas vidas, contentas
con el puro presente y su pitanza.

(Gente que pasa se detiene
a gozar de su orden ciudadano
en compasiva suficiencia fácil).

Mañana, nuevamente,
del despertado polvo del camino,
pueblos cerrados, ciegos corazones,
y el siempre ser mendigos de los otros.

Pero ahora ellos,
ellos, los parias, los que no comprenden
—porque la vida los mantuvo exentos—
dioses sin sombra son, reyes de veras,
ante los ojos de los que les tiran
caridad en moneda, envidia en palmas.
Un viento extraño agita las acacias.
Dios se retrae.
                    Suave, gira el mundo.

PIEDRA PURA

Desde las más borrosas lejanías, llegaron
a este país de piedra pura y sol.

Llegaron sonrientes, exhalados,
voraz el ojo y adormida el alma,
y comenzaron a pisar paisajes,
viejas iglesias, arcos rotos, puentes,
termas romanas, generosos caldos,
lengua española viva,
sin concederse tregua,
sin dar descanso a su codicia,
hasta que un día, ahítos,
volvieron a sus casas, a su historia:
«Bello es el mundo —comentaron— bello».

El viento del invierno, sabiamente,
fue rayendo sus huellas del camino
y preparó otra vez la primavera.
(Otra vez la verdad, pisoteada.)

                              (De *Ley del canto.*)

Francisco Brines

Nació en Oliva (Valencia) en 1932. Licenciado en Derecho por la Universidad de Salamanca, y en Filosofía y Letras por la de Madrid. Actualmente, lector de espñaol en la Universidad de Oxford. Obtuvo en 1959 el Premio Adonais de Poesía.

Obras: *Las brasas*, Madrid, Adonais, 1960; *Palabras a la oscuridad*, Madrid, Ínsula, 1966; *El santo inocente*, Madrid, Colección Poesía para todos, 1965; *Aún no*, Barcelona, Ocnos, 1971; *Insistencias en Luzbel*, Madrid, Visor, 1977.

POEMA

Ama a la tierra el hombre
con gran fuerza,
por una ciega ley del corazón.
Todos los hombres saben
que un día han de llorar
de amor por ella.
La ley del corazón es la ley mía,
y en esta tarde sola
miro la luz caer
en los pozos sombríos de los huertos.
Su último vuelo las palomas ruedan
antes de cobijarse, vienen
de descansar sobre los pinos,
de ver la mar,
y retienen sus alas al rumor
del más hermoso mar creado.
Miro los secos montes, son de plata;

por ellos van los sueños
de mi niñez, errantes
y abatidos.
Queda sólo el amor.
El de penumbra de los padres
y aquellos más oscuros que trajimos
de países lejanos.

Trepa el muro el jazmín,
huele la casa a flor, y los caminos
ebrios están de rosas.
El tiempo, en sombra, es insondable.
Y es el ciprés un alto arbusto
de llamas, astros y jazmines.

LA NIÑA

La niña,
con los ojos dichosos,
iba —rodeada
de luz, su sombra por las viñas—
a la mar.
Le cantaban los labios,
su corazón pequeño le batía.
Los aires de las olas
volaban su cabello.

Un hombre, tras las dunas,
sentado estaba,
al acecho del mar.
Reconocía la miseria humana
en el gemido de las olas,
la condición reclusa de los vivos
aullando de dolor,
de soledad, ante un destino ciego.
Absorto los veía
llegar del horizonte, eran

el profundo cansancio del tiempo.
Oyó, sobre la arena,
el rumor de unos pies
detenidos.
Ladeó la cabeza pesadamente,
volvió los ojos:
la sombría visión que imaginara
viró con él, todavía prendida,
con esfuerzo.
Y el joven vio que el rostro
de la niña
envejecía misteriosamente.
Con ojos abrasados
miró hacia el mar: las aguas
eran fragor, ruina.
Y humillado vio un cielo
que, sin aves, estallaba de luz.
Dentro le dolía una sombra
muy vasta y fría.
Sintió en la frente un fuego:
con tristeza se supo
de un linaje de esclavos.

(De *Palabras a la oscuridad.*)

TENDIDO SIN AMOR

Llueve, y amo.
Jadean, en extendida sombra,
dos sombras vivas, hozan la nada,
y en ella se alimentan.

               Son jirones de luz,
y a su luz se ven ojos, muslos, cabellos,
mientras la sombra se extingue hacia más sombra,
y el reposo en las sábanas
de las furias del cuerpo
es el agradecimiento de quien ha de morir,

186

y sin pedir la vida, la vida le desborda
hasta negar la muerte miserable,
la herrumbre de los cuerpos aún vivos
y las sombras ya huecas de los muertos.

MÉTODOS DE CONOCIMIENTO

En el cansancio de la noche,
penetrando la más oscura música,
he recobrado tras mis ojos ciegos
el frágil testimonio de una escena remota.

Olía el mar, y el alba era ladrona
de los cielos; tornaba fantasmales
las luces de la casa.
Los comensales eran jóvenes, y ahítos
y sin sed, en el naufragio del banquete,
buscaban la ebriedad
y el pintado cortejo de alegría. El vino
desbordaba las copas, sonrosaba
la acalorada piel, enrojecía el suelo.
En generoso amor sus pechos desataron
a la furiosa luz, la carne, la palabra,
y no les importaba después no recordar.
Algún puñal fallido buscaba un corazón.

Yo alcé también mi copa, la más leve,
hasta los bordes llena de cenizas:
huesos conjuntos de halcón y ballestero,
y allí bebí, sin sed, dos experiencias muertas.

Mi corazón se serenó, y un inocente niño
me cubrió la cabeza con gorro de demente.

Fijé mis ojos lúcidos
en quien supo escoger con tino más certero:
aquel que en un rincón, dando a todo la espalda,

llevó a sus frescos labios
una taza de barro con veneno.

               Y brindando a la nada
se apresuró en las sombras.

(De Aún no.)

Aquilino Duque

Nació en Sevilla en 1931. Fue profesor de español en Universidades americanas e inglesas. Actualmente reside en Roma. Ha obtenido varios premios literarios, entre ellos el «Leopoldo Panero» de poesía, el Washington Irving, para cuentos inéditos, y el «Ciudad de Sevilla» de novela.

Obras: *La calle de la luna*, Sevilla 1958; *El campo de la verdad*, Madrid, Adonais, 1958; *De palabra en palabra*, Madrid, Cultura Hispánica, 1968; *El invisible anillo*, León, Col. Provincia, 1971.

EL AIRE LIBRE

Diariamente me levanto y miro
mi juventud en el espejo; palpo
mis ropas; pongo oído atento
a la circulación de la poesía
por las venas.
Éste soy yo. Los libros
abren sus mundos. Por la calle
pasa la vida. En el balcón de enfrente
un albañil ajusta una baldosa.
Abre un comercio; frena un automóvil;
se oye un pregón, y un río
lleno de barcos me atraviesa el pecho
y se remansa en mi garganta.
Vivo estoy, por supuesto. ¿Cuánto tiempo
correrá esta caballo por la orilla?
¿Cuándo se quebrará este cántaro

que tanto va a la fuente?
Las preguntas aumentan con los meses.
Hay que irse acostumbrando —dicen—
a separarse de las cosas. Pero ahora
es uno libre, y libres son los pájaros,
libres las arboledas y los libros;
por las verjas abiertas
circula libremente la alegría.
La juventud está por encima del tiempo.
Diariamente me levanto y abro
de par en par ventanas y balcones.
Recuerdo coplas; entra en mí de pronto
la asombrada alegría de estar vivo.
—Respira a pecho abierto mientras puedas.
Los periódicos dicen que en España
el aire sigue en libertad.

SÁBADO

Dejadme un poco, estoy cansado,
ha sido largo mi paseo.
Largo de espacio.
Corto de tiempo.

Busco el descanso, como busca
el mar el agua del reguero.
Como el camino el horizonte.
Como la boca el beso.

El libro está cerrado aún.
Ojos en sombra por el sueño.
No tienen límites mis ansias
ni en el espacio ni en el tiempo.

Último sábado de octubre
que te me vas de entre los dedos,
quiero dejarte aprisionado

entre las rejas de mis versos.
Eres promesa de un mañana
sin inquietud, pero en pequeño.

¿Tendré algún día, eterno y ancho,
tarde del sábado, tu lecho
para el descanso y la esperanza
de mi domingo verdadero?

(De *El campo de la verdad.*)

UNA VISITA A LEÓN FELIPE

Miré a mi alrededor;
registré apresurado mis bolsillos...
Quise haberle traído cualquier cosa:
las riendas de un caballo, una vareta
de mimbre, un búcaro, un torito
de barro y agua pura,
porque palabras tenía pocas
y todas eran de bisutería.
Esperaba a la muerte con la tópica
sobriedad española: a su cabeza
la cruz vera, a su lado
aquel retrato de desconocido
toledano o cretense
de ojos de cisco y barbas de ceniza.
Fumaba el cigarrillo interminable
del condenado a muerte,
manchándose —memento— de ceniza
las pobres sábanas rosadas.
Su corazón se iba desovillando
en un hilo de voz
que se ovillaba al mío
para hacerlo girar como peonza.
Intenté hablar de nuevo. Fue imposible.
Los lugares comunes de consuelo

con que ahuyentamos el dolor extraño
de la propia conciencia, no podían
rebasar la garganta, donde ya
aleteaba un pájaro rebelde.
Oh mañana insurgente, estrellas rojas
de Nochebuena en amarillas bardas,
puños trabajadores que en las naves
de los mercados suspendían mazorcas,
nacimientos de paja,
pavos reales de papel rizado...
Andamiaje de fiesta, olores nuevos,
¿no pudiera esa vida
entrar por la ventana y dar la vida?
¿No pudiera venir a relevarme?
¿Hablar por mí, decir: ¿qué es esto
de acostarse a morir? ¡Venga, levántese,
vamos a La Merced, al Salto de Agua...!
Lejos quedaba España. Una vez más
se cumplía el destino de sus hijos:
andar errantes, morir solos,
y hablando de ella, por supuesto.
Debí de balbucir «posteridad»
y él debió de entender «postrimería»...
Lejos quedaba España...
Pero española era la manera
de agradecer y rechazar palabras
artificiales, quebradizas,
gratuitos laureles
sacados de una manga vergonzante.
¿Cómo engañar por cortesía
a quien ya no tenía que fingir
o tolerar mentiras, pues segura
se alzaba la verdad frente a su cama?
¿Cómo romper de pronto la costumbre
sólidamente armada día a día
de renunciar y de morir?
Toda la casa era barco a pique
que el capitán nunca abandonaría.

Bajé escaleras, crucé calles
ocultando mi rostro a los transeúntes,
impotente y cobarde ante el naufragio.
Vida, papeles, libros
flotaban por el mar de la memoria
abandonados a su suerte.

(De *De palabra en palabra.*)

Rafael Guillén

Nació en Granda, en 1933. Fundador de la colección poética «Veleta al Sur». Ha obtenido los premios de poesía «Leopoldo Panero», «Guipúzcoa», «Boscán» y «Ciudad de Barcelona». Reside en Granada.

Obras: *Antes de la esperanza*, Granada, Col. La nube y el ciprés, 1956; *Río de Dios*, Granada, Col. Veleta al Sur, 1957; *Pronuncio amor*, Arcos de la Frontera, Col. Alcavarán, 1960; *Elegía*, Granada, Col. Veleta al Sur, 1961; *Cancionero-guía para andar por el aire de Granada*, Granada, Col. Veleta al Sur, 1962; *El gesto*, Buenos Aires, Seijas y Goyonarte Editores, 1964; *Hombre en paz*, Madrid, Editora Nacional, 1966; *Tercer gesto*, Madrid, Cultura Hispánica, 1967; *Los vientos*, Madrid, Revista de Occidente, 1970; *Límites*, Barcelona, Col. El Bardo, 1971; *Gesto segundo*, Barcelona, Instituto de Estudios Hispánicos, 1972; *Antología poética*, Universidad de Sevilla, 1973.

POEMA II

Cada mañana el mismo
asombro, siempre nuevo:
el ver lo natural
que es para ti tu cuerpo.

Consabidas minucias
del rito del aseo,
qué imperceptiblemente
elevas al misterio.

Desde mis ajimeces
vigilo tus linderos:
revuelas como un ángel
sobre tus mismos pechos.

Tu humedad se disputan
la juncia y el espliego.
¡Ay, frescura de aljibe
y calor de sesteo!

En mis blandas murallas
aprisionado, veo
el hábito sencillo
que tienes de tu cuerpo.

Resuelves la materia
en puro movimiento;
cada escorzo insinúa
un ritmo en el espejo.

El repetido aire
que modela tus gestos,
es en ti cristalino
pero en mí es espeso.

De tu cuello desnudo
nace un hondo venero;
de tus brazos en alto,
la mimbre de tu pelo.

Al alba, cuando mido
tu distancia, no entiendo
la natural costumbre
que es para ti tu cuerpo.

(De *Los vientos*.)

195

POEMA VI

Dame tan sólo un poco de misterio.
Tú, realidad, muralla
que me persigue, dame
tus altos miradores, tus almenas
para volar; el perfil de una torre
para subir y adivinar, aún lejos,
unas posibles huestes asaltantes.
Déjame un tragaluz por donde pueda
penetrar la leyenda.
Tú, certeza, tan oro a flor de tierra,
dame el miedo de oscuras escaleras,
de largos pasadizos subterráneos
donde un candil alumbre por el sueño
las ánforas, los cofres
del tesoro perdido desde siglos.
Déjame el don eterno de la búsqueda.

Este amor tuyo es una Alhambra clara.
Los surtidores y los arcos ponen
sobre tu piel temblores, filigranas
ya descifradas ¡ay!, rendidos pétalos
donde lo terso pierde su medida.

Dame la vara del encantamiento.
Tú, sensatez, cordura, mi diaria
afirmación humana,
dame una entrada oculta entre las zarzas
donde aquel aguador que llevo dentro,
pregonero del agua y los anises,
descubra otro pasado de palabras
incomprensibles, sombras
de moros y turbantes que, entre aromas
de sándalo, conversan
por soterradas bóvedas de aljibes.

Tus patios y recintos se derrumban
bajo la luz. Dame tan sólo un poco

de umbría, un baluarte
de irrealidad, para que, falsamente,
pueda inventar mi parte de aventura.

(De *Los vientos.*)

SIGNOS EN EL POLVO

Como el dedo que pasa
sobre la superficie polvorienta
del mueble abandonado y deja un surco
brillante que acentúa la tristeza
de lo que ya está al margen de la vida,
de lo que sigue vivo y ya no puede
participar de nuevo, ni aun con esa
pasiva y tan sencilla
manera de estar limpio allí, dispuesto
a servir para algo; como el dedo
que traza un vago signo, ajeno a todo
significado, sólo
llevado por la inercia del impulso
gratuito y que deja
constancia así en el polvo de un inútil
acto de voluntad, así, con esa
dejadez, consciencia casi, siento
que alguien me pasa por la vida, alguien
que, mientras piensa en otra cosa, traza
conmigo un surco, se entretiene
en dibujar un signo incomprensible
que el tiempo borrará calladamente,
que recuperará de nuevo el polvo
aún antes de que pueda interpretarse
su cifrado sentido, si es que tuvo
sentido, si es que tuvo
razón de ser tan pasajera huella.

(De *Límites.*)

ADARGA

Penetra el mundo por la piel. Se adhiere
lo circundante, aprieta,

como un rugiente zumo
mineral, como un aire torbellino
de disueltos paisajes
por la piel, un adobo, una sustancia
de melaza y salitre y de partículas
frutales y de savia,
también hedor, penetra,
y légamo, comprime y remodela.

Atrio es la piel, prolongación del caos
hacia dentro; y de lo hermoso. Adarga
penetrable.
                    ¿Qué música,
qué realidad inexistente llama
con sus nudillos, lanza
sus escalas? ¿Qué espuma
de un ajeno supuesto se remansa
en cada arruga dársena? ¿Qué brillo?

Poro por poro, pozos artesianos,
busca la luz del exterior caudales
transcorpóreos, venas
que acrecentar. Afluyen pulsaciones,
sonidos de otro allá que el vello absorbe.
Fusión a su través anonadado.
Desleimiento en el todo del origen.

Inhumana es la piel.
                              Niega, rechaza
el más acá del tacto. Desarraiga
la posesión.
                    A lo tan sólo esconde
algún pliegue perdido, que aún conserva
la cicatriz de un beso; o un espacio
por otra piel rozado, donde abiertas
heridas parpadean.

(Inédito.)

198

Carlos Sahagún

Nació en Onil (Alicante) en 1938. Estudió Filosofía y Letras. Ha sido lector de español en Universidades inglesas. Obtuvo los premios de poesía Adonais y Boscán. Reside en Barcelona, donde es profesor de Literatura en un Instituto de Enseñanza Media.

Obras: *Profecías del agua*, Madrid, Adonais, 1958; *Como si hubiera muerto un niño*, Barcelona, Instituto de Estudios Hispánicos, 1961; *Estar contigo*, León, Col. Provincia, 1973.

CLARIDAD DEL DÍA

Te digo que esta ha sido la primera
vez que amé. Si la tierra que ahora pisas
se hundiera con nosotros, si aquel río
que nos vigila detuviera el paso,
sabrías que es verdad que te he buscado
desde niño en las piedras, en el agua
de aquella fuente de mi plaza. Tú,
tan flor, tan luz de primavera, dime,
dime que no es mentira, este milagro,
la multiplicación de mi alegría,
los panes y los peces de tu pecho.
Contéstame. No quiero hablar yo solo,
estar —yo solo— alegre. Te amo. ¡Fuego,
la mañana hace fuego y nos golpea
los corazones! Levantémoslos
arriba, siempre arriba. Alguien nos lleva,
alguna mano pura nos empuja.
Aire en el aire, iremos a aquel monte.

Cristal en el cristal más limpio, un día
nos miraremos hasta emocionarnos.
Y ya lo estamos como nunca. Dame
la mano. Si me dices que eche al río
mis versos, yo los echaré, si quieres
que arranque aquella flor y te la traiga,
te la traeré. Pero anda, ven conmigo.
¿Ves un pinar allá a lo lejos? Vamos.
Ya todo es nuestro: el buen camino, el árbol,
la generosa claridad del día.

VARIACIÓN

¿Tantos hombres a la deriva
no somos nadie, no importamos nada?
Claudicaciones, guerras, la noche en los caminos
no nos quitaron la esperanza.
Queda la idea, impresa allá en lo hondo;
el corazón lo sabe y la reclama.
¿No somos nadie? Fuimos
los vencidos en la batalla,
los olvidados de la historia, el pueblo
sin zapatos ni casa
que todo lo perdió una primavera
sangrienta, desolada.
¿Y hasta cuándo estaremos esperando
que nos concedan la palabra?

De orilla a orilla, entre olivares,
entre cárceles y alambradas,
somos nosotros la luz de la vida,
tu llano y sierra, oh patria, oh flor de España.

EPITAFIO SIN AMOR

Mientras vivió, permaneció en lo alto. Hoy quedan
retratos pisoteados, libros y panegíricos,
y algo como un horror en la conciencia
colectiva. Su nombre, por fortuna,

ha pasado a la historia para ser
ira, desprecio, escándalo
de las generaciones,
y aún dura en las cloacas de aquel tiempo sombrío.

Pero la maquinaria que creó
no dura. Pieza a pieza, el engranaje
fue destuido sin piedad.
Un viento popular barrió las vigas
carcomidas, el moho, las distancias,
y en el silencio que quedara en pie
fue posible por fin la primavera.

(De *Estar contigo.)*

Félix Grande

Nació en Mérida (Badajoz) en 1937, y vivió toda su infancia y su adolescencia en Tomelloso (Ciudad Real). Desde 1961 vive en Madrid, donde es secretario de la revista *Cuadernos Hispanoamericanos*. Ha obtenido varios premios de poesía, entre ellos el «Adonais», el «Guipúzcoa» y el «Casa de las Américas». Cultiva también la narración y el ensayo.

Obras: *Las piedras*, Madrid, Col. Adonais, 1964; *Música amenazada*, Barcelona, Col. El Bardo, 1966; *Blanco Spirituals*, La Habana, Casa de las Américas, 1967; *Biografía*, Barcelona, Seix Barral, 1971; *Años*. Antología, Madrid, Ed. Nacional, 1976.

MADRIGAL

Palabra, dulce y triste persona pequeñita,
dulce y triste querida vieja, yo te acaricio,
anciano como tú, con la lengua marchita,
y con vejez y amor acalmo nuestro vicio.

Palabra, me acompañas, me das la mano, eres
maroma en la cintura cada vez que me hundo;
cuando te llamo veo que vienes, que me quieres,
que intentas construirme un mundo en este mundo.

Hormiguita, me sirvo de ti para vivir;
sin ti, mi vida ya no sé lo que sería,
algo como un sonido que no se puede oír
o una caja de fósforos requemda y vacía.

Eres una cerilla para mí, como esa
que enciendo por la noche y con la luz que vierte

alcanzo a ir a la cama viendo un poco, como ésa;
sin ti sería tan duro llegar hasta la muerte.

Pero te tengo, y cruzo contigo el dormitorio
desde la puerta niña hasta la cama anciana;
y, así, tiene algo de pálpito mi puro velatorio
y mi noche algo tiene de tarde y de mañana.

Gracias sean para ti, gracias sean, mi hormiga,
ahora que a la mitad de la alcoba va el río.
Después, el mar; tú y yo ahogando la fatiga,
alcanzando abrazados la fama del vacío.

(De Las piedras.)

MIENTRAS DESCIENDE EL SOL...

Mientras desciende el sol, lento como la muerte,
observas a menudo ese calle donde está la escalera
que conduce a la puerta de tu guarida. Dentro
se encuentra un hombre pálido, cumplida ya, remota
la mitad de su edad; fuma y se asoma
hacia la calle desvíada; sonríe solitario
a este lado de la ventana, la famosa frontera.

Tú eres ese hombre; una hora larga llevas
viendo tus propios movimientos,
pensando desde fuera, con piedad,
las ideas que en el papel pacientemente depositas;
escribiendo, como fin de una estrofa,
que es muy penoso ser, así, dos veces,
el pensarse pensando,
la vorágine sinuosa de mirar la mirada,
como un juego de niños que tortura, paraliza, enve-
[jece.
La tarde, casi enferma de tan lejana,
se sumerge en la noche   [mente.
como un cuerpo harto ya de fatiga, en el mar, dulce-

Cruzan aves aisladas el espacio de color indeciso
y, allá al final, algunos caminantes pausados
se dejan agostar por la distancia; entonces
el paisaje parece un tapiz misterioso y sombrío.

Y comprendes, despacio, sin angustia,
que esta tarde no tienes realidad, pues a veces
la vida se coagula y se interrumpe, y nada entonces
puedes hacer contra ello, más que sufrir un sufrimiento
desorientado y perezoso, una manera de dolor mar-
y recordar, prolijamente,   [chito,
algunos muertos que fueron desdichados.

(De *Música amenazada.)*

TELAS GRACIOSAS DE COLORES ALEGRES

Según el ABC de hoy Johnson ha motivado
un nuevo agonizante en la capital de Malasia
(Se ve un caído junto a la bota de un policía
y la bandera norteamericana en un ángulo de la de-
                                             [recha.)

Caminando por la acera de Alenza en busca del kiosco
recordé moderadamente a una amante que tuve en
                                            [Málaga.

Aquel soldado castellano que se llamó Jorge Manrique
escribió sobre esto palabras permanentes. Cuán presto
se va el placer, cómo se pasa la vida, aquellos días
de Málaga o del medievo qué fueron sino verduras de
                                         [las eras.

Vuelvo a casa silbando una melodía de Fats Waller.
También aquella época de jazz comienza a ser prehis-
                                         [toria:

algunos artistas negros de nuestros días atomizados
desprecian a Louis Amstrong sus reverencias a los altos
[yanquis
y soplan sobre sus trompetas con la furia de un jura-
[mento.
Y mientras, Charlie Parker sigue muriendo ay sigue
[muriendo
y Vallejo se extiende en la conciencia de los jóvenes
que leen poesía y que esperan el veredicto de lord
[Russell
y Sartre y muchos más contra los importantes del país
más poderoso de la tierra (de esto hay señales inequí-
[vocas).
Paca, viste a la niña con colores alegres:
tal vez vengan hoy los abuelos, esa pareja de casi an-
[cianos
que han sufrido bastante y trabajado como bestias de
[carga.
Ella tuvo ocho hijos, enterró tres, atendió enfermeda-
[des,
y zurció ropa de los otros cinco; él, ah cómo lo amo,
hombre de precisas palabras, nos educó con su con-
[ducta,
perdió una guerra, enterró a sus padres, soportó
desesperación económica y separación de los suyos
y hambre y frío y calor y fatiga e insomnio,
todo cuando nuestro país reserva a los matrimonios
[miserables.
Pon a Lupe los pendientes de oro y repite conmigo:
si alguna vez exiliamos a esos dos viejos de nuestro co-
[razón
seremos unos hijos de perra, unos bastardos. Paca,
viste a la niña con colores alegres. Señores:
agoniza un manifestante en la capital de Malasia.

Y va desfalleciendo la mañana debajo debajo de un sol
[casi baldío
mientras pasa mi juventud, las justas y los torneos,

paramentos, bordaduras, qué fueron sino rocío de los
[prados.
Y mientras caen bombas y muertos sobre las junglas
[del Vietnam.

Ahora recuerdo una travesía solitaria y paciente
por calles de París. Era una madrugada de septiembre,
venía de amar a una mujer, iba a dormir a casa de un
[amigo
en la calle Maurice Ripoche; y caminaba y caminaba
rememorando al mismo tiempo mis insustituibles y pe-
[queños sucesos de hombre
y la Revolución Francesa; y calculaba de memoria mis
bajo una amable lluvia que mojaba   [francos
mis sucios cabellos, mis manos; que resbalaba
sobre mi fervor de vivir y la calamidad del mundo.

Escribo para vosotros, testarudos, calamitosos seres
que deambuláis en este laberinto agrietado de nuestro
[siglo.
Os mando cartas porque creo en el fenómeno poético,
lenguaje enloquecido y apesadumbrado que se derrite
[de calor
ante un malasio que agoniza entre el plomo y la rabia.
Escribo porque amo atrozmente lo que aún no ha sido
[todavía,
como lo amáis vosotros, gente, que vais por las ciuda-
[des
recordando y deseando, con un periódico arrugado
y un corazón que se hincha como un aullido en un
[barranco.
Escribo esta carta mientras oigo los ruidos de la covina.
y veo pasar el tiempo como un megaterio por la dulce
[ventana.
Escribo porque no soy un degenerado, porque estoy
[muy en deuda
con dos viejos que languidecen en la edad al borde de
[su nieta,

con una persona pequeña vestida con telas graciosas,
con seres que me dieron o me dan, con gentes que
[pasan,
con años que transcurren camino de los siglos,
con un sueño de amistad popular que cruza solitario
como un viejo vehículo del mar por el mar de la his-
[toria.

(De *Blanco spirituals.)*

Joaquín Caro Romero

Nació en Sevilla, en 1940, y sigue residiendo en su ciudad natal. Obtuvo el Premio Adonais de Poesía en 1965 con su libro *El tiempo en el espejo*.

Obras: *Espinas en los ojos*, Granada, Col. Veleta al Sur, 1960; *El transeúnte*, Sevilla, Col. La Muestra, 1962; *El tiempo en el espejo*, Madrid, Col. Adonais, 1966; *Tiempo sin nosotros*, Madrid, 1969; *Vivir sobre lo vivido*, Madrid, Ínsula, 1970; *Antología de la poesía erótica española de nuestro tiempo*, París, Ruedo Ibérico, 1973.

LA ALCOBA Y EL TIEMPO

Se diría que el tiempo
no sale de esta alcoba,
que es más bien el espacio
quien se mueve y transforma.

Cuatro paredes. Unos
zapatos en la alfombra
vacíos. Un espejo.
Una bombilla rota...

Se diría que el tiempo
no pasa cuando gozan
los dioses. Se diría
que es eterna la rosa.

Cuántos niños suplican
nombre y ser en la alcoba,

hijos del viento impuro
y la ceniza honda.

Se diría que el tiempo
no se da ni se toma,

que el tiempo es como el vino
recogido en la copa,
desgraciado en el suelo
y feliz en la boca.

                    (De *El tiempo en el espejo.*)

LAS TAPIAS

Desnudas y distintas y sordas,
resistiéndose a las lacras,
casi pulidas por el trato clandestino o natural de la
envejecen las tapias.   [lluvia y el viento,
A ellas se arrima el caracol.
No tienen ojos, no ven nada.

¿Quién le cortó a la noche
las piernas, para que no saltara
del barro hacia la libertad
con el tren que se escapa?

Un pañuelo quemado,
una media, una cáscara,
un cristal...
            Este lugar no es digno
de la flor ni la luz. Sí de las ratas,
que con nosotros lo frecuentan
porque aquí la miseria es más barata.

Triste feria nocturna.
Complicidad, última subasta
de la piel.

Esta vez no nos matan
con pólvora. Esta vez
nos tiran la peor manzana.

¿Dónde está el fin?
                              No se ve más
que la huella de aceite de una infinita espalda
y un pelotón de manos...

Y tal vez sangre todavía en las tapias.

LA CASA DE ENFRENTE

Le quitaron primero las ventanas.
No le vendaron el portal siquiera.
El aire se quedó sin escalera
y se quedó el verano sin persianas.

No hay ojos que saluden las mañanas,
pues aquel rostro es una calavera
que destrozó la ausencia a su manera
tirando al mar la voz de las campanas,

El polvo con nosotros no se queja.
Estamos solos y esto es suficiente
para sentir la herida algo más vieja.

(Aquí hubo un día un palomar ardiente
con un fuego de amor en cada reja
y una historia sin nadie que la cuente.)

(De *Vivir sobre lo vivido.*)

Justo Jorge Padrón

Nació en Las Palmas de Gran Canaria, en 1943. Licenciado en Derecho y en Filosofía y Letras por la Universidad de Barcelona. Pertenece al consejo de redacción de la revista *Fablas*, de Las Palmas. Obtuvo el Premio Boscán de poesía en 1972. Reside actualmente en Suecia.

Obras: *Los oscuros fuegos*, Madrid, Col. Adonais, 1971; *Mar de la noche*, Barcelona, Instituto Catalán de Cultura Hispánica, 1973; *La nueva poesía sueca*, Barcelona, Plaza Janés, 1972; *Los círculos del infierno*, Barcelona, Plaza Janés, 1976.

EN ESTAS VIEJAS COLINAS

En estas viejas colinas
junto a otros muchos hombres
me obligan a aprender,
en el filo del frío, del sueño y del hastío,
obedeciendo, obedeciando siempre
el grito anónimo de mando.
Allá, en el fondo, el mar,
siempre el mar rodeándonos
con su acero lejano e implacable.
Después, en el acompasado
respirar de los cuerpos
hundidos en el sórdido abandono
del sudor y el esfuerzo,
entre la noche hiriente y desolada
y el cansancio de todos
sube pesadamente hacia la lona

que cubre nuestro absurdo aprendizaje
día tras día.

ESPERARLA

Esperarla en aquella habitación de hotel
oyendo el anhelante ruido del ascensor
y la prisa furtiva de unos pasos.

Esperarla tenaz como a la vida
en un lecho que tiembla
a cualquier movimiento del pasillo.

Esperarla sin voz, sin palabra ninguna,
con el tacto mortal de los labios y el fuego.

Esperarla, esperarla
como al abismo del castigo
que amenaza y no viene,
como a la incertidumbre de lo último.
Esperarla.

Esperarla con muerte.

LA OLA ARDIENTE TE ARRASTRA

La mezquindad y la calumnia
y sus bastardos mercaderes
extendiéndose en toda tu memoria,
como una maldición.
Sordo, el violento puño del día machacándote,
estallando tu sangre a cada golpe.
Llegas cansado a casa con el sombrío hedor
de la derrota, pero tu mirada
en su rompiente rebeldía,
jura que aun no has perdido.

La ola ardiente te arrastra
por la pequeña galería umbrosa.
Vas incendiando
sin darte cuenta las paredes,
los libros, hasta el aire sumiso del hogar,
y todo lo derribas con tu oscura mirada.
Grandes ojos viscosos cuelgan por los dinteles,
lenguas torcidas manchan
cuadros y espejos apacibles,
y repisas y muebles se desploman
ante tus pasos desolados.
Toda la hez del mundo mancillando tu lecho,
contagiando con tu presencia a cuanto amaras,
y al fin te encuentras y huyes escaleras abajo,
antes de que también tu casa
deje de ser el único refugio
contra la muerte.

(De *Mar de la noche.*)

Pedro Gimferrer

Nació en 1945, en Barcelona, en cuya universidad estudió Filosofía y Letras y Derecho. Fue Premio Nacional de Poesía en 1966 con su primer libro, *Arde el mar*. Cultiva asiduamente la crítica literaria en el semanario «Destino».

Obras: *Arde el mar*, Barcelona, El Bardo, 1966; *La muerte en Berverley Hills*, Barcelona, El Bardo, 1968; *Poemas* (1963-1969, Barcelona, Ocnos, 1969; *Antología de la poesía modernista*, Barcelona, Seix Barral, 1969.

ODA A VENECIA ANTE EL MAR
DE LOS TEATROS

Las copas falsas, el veneno
y la calavera de los teatros.

GARCÍA LORCA

Tiene el mar su mecánica como el amor sus símbolos.
Con qué trajín se alza una cortina roja
o en esta embocadura de escenario vacío
suena un rumor de estatuas, hojas de lirio, alfanjes,
palomas que descienden y suavemente pósanse.
Componer con chalinas un ajedrez verdoso.
El moho en mi mejilla recuerda el tiempo ido
y una gota de plomo hierve en mi corazón.
Llevé la mano al pecho, y el reloj corrobora
la razón de las nubes y su velamen yerto.
Asciende una marea, rosas equilibristas
sobre el arco voltaico de la noche en Venecia
aquel año de mi adolescencia perdida,

214

mármol en la Dogana como observaba Pound
y la masa de un féretro en los densos canales.
Id más allá, muy lejos aun, hondo en la noche,
sobre el tapiz del Dux, sombras entretejidas,
príncipes o nereidas que el tiempo destruyó.
Qué pureza un desnudo o adolescente muerto
en las inmensas salas del recuerdo en penumbra.
¿Estuve aquí? ¿Habré de creer que éste he sido
y éste fue el sufrimiento que punzaba mi piel?
Qué frágil era entonces, y por qué. ¿Es más verdad,
copos que os diferis en el parque nevado,
el que hoy así acoge vuestro amor en el rostro
o aquél que allá en Venecia de belleza murió?
Las piedras vivas hablan de un recuerdo presente.
Como la vena insiste sus conductos de sangre,
va, viene y se remonta nuevamente al planeta
y así la vida expande en batán silencioso,
el pasado se afirma en mí a esta hora incierta.
Tanto he escrito, y entonces tanto escribí. No sé
si valía la pena o lo vale. Tú, por quien
es más cierta mi vida, y vosotros que oís
en mi verso otra esfera, sabréis su signo o arte.
Dilo, pues, o decidlo, y dulcemente acaso
mintáis a mi tristeza. Noche, noche en Venecia
va para cinco años, ¿cómo tan lejos? Soy
el que fui entonces, sé tensarme y ser herido
por la pura belleza como entonces, violín
que parte en dos el aire de una noche de estío
cuando el mundo no puede soportar su ansiedad
de ser bello. Lloraba yo, acodado al balcón
como en un mal poema romántico, y el aire
promovía disturbios de humo azul y alcanfor.
Bogaba en las alcobas, bajo el granito húmedo,
un arcángel o sauce o cisne o corcel de llama
que las potencias últimas enviaban a mi sueño. Lloré,
[lloré, lloré.
¿Y cómo pudo ser tan hermoso y tan triste?
Agua y frío rubí, transparencia diabólica

grababan en mi carne un tatuaje de luz.
Helada noche, ardiente noche, noche mía
como si hoy la viviera! Es doloroso y dulce
haber dejado atrás la Venecia en que todos
para nuestro castigo fuimos adolescentes
y perseguirnos hoy por las salas vacías
en ronda de jinetes que disuelve un espejo
negando, con su doble, la realidad de este poema.

(De *Arde el mar.*)

EL ARPA EN LA CUEVA

Ardía el bosque silenciosamente.
Las nubes del otoño proseguían
su cacería al fondo de los cielos.
Posesión. Ya no oís la voz del cuco.
Qué ojo de dragón, qué fuego esférico
qué tela roja, tafetán de brujas,
vela mis ojos? Llovió, y en la hierba
queda una huella. Mas he aquí que arde
nítido y muy lejano el bosque en torno,
un edificio, una pavesa sola,
una lanza hasta el último horizonte,
cual tirada a cordel. Nubes. El viento
no murmura palabras al oído
ni repite otra historia que ésta: ved
el castillo y los muros de la noche,
el zaguán, el reloj, péndulo insomne,
los cayados, las hachas, las segures,
ofertas a la sombra, todo cuanto
abandonan los muertos, el tapiz
dormido de hojas secas que pisamos
entrando a guarecernos. Pues llovía
—se quejaban las hojas— y el cristal
empañado mostró luego el incendio
como impostura. ¿Llegarán las lenguas

y la ira del fuego, quemarán
desde la base el muerto maderamen,
abrirán campo raso donde hubo
cerco de aire y silencio? No es inútil
hablar ahora del piano, los visillos,
las jarras de melaza, el bodegón,
los soldados de plomo entre serrín,
las llaves de la cómoda, tan grandes,
como en el tiempo antiguo. No es inútil.
Pero qué cielo éste del otoño.
La abubilla que habla a los espíritus,
la urraca, el búho, la corneja augur,
el gavilán, huyeron. Ni una sombra
se interpone entre el lento crepitar
y el cielo en agonía. Abrid un templo
para este misterio. Sangre cálida
dejó tu pecho suave entre mis manos,
amada mía: un goterón de púrpura
muy tembloroso y dulce. Como yesca
llameó la paloma sin quejarse.
La muerta va vestida de dorado,
dos serpientes por ojos. Qué silencio.
Tarda el fuego en llegar al pabellón
y hay que ir retirándose. Ni un beso
de despedida. Quedó sólo un guante
o un antifaz vacío. Cruces, cruces
para ahuyentar los lobos!
                              Un guerrero
trae la armadura agujereada a tiros.
En sus cuencas vacías hay abejas.
Lagartos en sus ingles. Las hormigas,
ah, las hormigas besan por su boca.
Espadas de la luz, rayos de luna
sobre mi frente pálida! Un instante
velando sorprendí a vuestro reflejo
la danza de Silvano. Ágiles pies,
muslos de plata piafante. El agua
lavó esta huella de metal fundido.

Y un resplandor se acerca. Así ha callado
el naranjo en la huerta, y el murmullo
de su brisa no envía el hondo mar.
Vivir es fácil. Qué invasión, de pronto,
qué caballos y aves. Tras las nubes
otras nubes acechan. Descargad
este fardo de lluvia. ¡Un solo golpe,
como talando un árbol de raíz!
Se agradece la lluvia desde el porche
cuando anochece y ya los fuegos fatuos
gimen y corretean tras las tapias,
como buscándonos. Recuerdo que encendías
un cigarrillo antes de irte. Luego
el rumor de tus pasos en la grava,
sobre las hojas secas. Nieve, nieve,
quema mi rostro, si es que has de venir!
Se agradece la lluvia en esta noche
del otoño tardío. Canta el cuco
entre las ramas verdes. Un incendio,
un resplandor el bosque nos reserva
a los que aún dormimos bajo alero
y tejas, guarecidos de la vida
por uralita o barro, como si
no estuvieran entrando ya los duendes
con un chirrido frágil
por esta chimenea enmohecida.

(De *Arde el mar.)*

Guillermo Carnero

Nació en Valencia, en 1947. Estudios universitarios, Filosofía y Letras, Ciencias Económicas. Aparte su labor poética, se interesa especialmente por la literatura del siglo XVIII.

Obras: *Dibujo de la muerte*, Málaga, El Guadalhorce, 1967; 2.ª edición, Ocnos, 1971; *Barcelona, mon amour*, Málaga, El Guadalhorce, 1970; *El sueño de Escipión*, Madrid, Visor, 1971; *Antología de la poesía prerromántica española*, Barcelona, Seix Barral, 1970; *Variaciones y figuras sobre un tema de La Bruyère*, Madrid, Visor, 1974; *El azar objetivo*, Madrid, Col. Trece de Nieve, 1975.

TEMPESTAD

Giorgione

Una paloma en llamas aparece
de súbito. Desgarra incandescente
la daga las pupilas del halcón.
Escamas plateadas, coseletes
de púrpura, la pluma de airón barre
el oro y el azur. Desnúdate
bajo la verde bruma de este sauce
y serás fácil presa para el rayo.
Desnudos son los árboles, desnudos
los juncos en el río. Ruedan blancos
nenúfares cortados, aletea
acá y allá la espuma. Entre la fronda
emergen las luciérnagas, pupilas
que temen a la luz. Cae una gota
sobre el helado filo de las lanzas.

Emergen en el mar, sobre tu piel,
puñaladas de frío. Si las ramas
te acosan, si las víboras descienden
a la sedosa curva de tu pecho,
si atenaza tus sienes una hilera
de vírgenes corolas, mercuriales
y cítisos azules, no liberes
el nácar de tu pie. Pronto, en lo oscuro,
teñirán los fulgores de la antorcha
el roce de la seda.
Rugirán a los cielos las gargantas
abrasadas de sangre. Los arroyos
lavarán los sangrientos cortinajes
y el cálido plumón pisoteado.
Un concierto de garras y zarcillos
ambiciona tu cuerpo.
                              Los laureles
gotean, y en el tibio sol retozan
blanquísimos caballos con guirnaldas
de flores en la grupa.

(De *Dibujo de la muerte.*)

GALERÍA DE RETRATOS

Venid, venid, fantasmas, a poblarme
y sacien vuestros ojos a la muerte.
Dilatad de la nave la ribera
mas tan sólo un momento. Que transcurra
vuestra fugaz constelación de sombras
y vuestra brevedad pueda valerme
por todos estos años que he perdido.
De par en par las puertas; las ventanas
sientan la vastedad del horizonte.
Como un remordimiento repetido
de par en par los hierros de la verja.
Corran las fuentes, giren en la noche

los círculos del agua. Que se pueblen
de música las pérgolas oscuras
y lloren en la noche los espejos
por toda la pasada cetrería.
Todos estos recuerdos que renacen
venid conmigo, siento vuestra mano
húmeda como niebla, recorramos
las estancias sin luz, desguarnecidas.
Abandonadme suaves vuestros dedos
y oscureced mis labios y mis ojos
para que sólo dancen en la noche
como una sangre tibia entre dos aguas
vuestros pálidos labios casi fríos.
Rodeen vuestros brazos este cuerpo
en el que habéis dormido mientras era
el mañana un calor anticipado.
Y cuantísimos años rechacé
vuestra común presencia salvadora.
Sólo vuestro calor imaginado
redime tantos años de locura.

EL ALTÍSIMO JUAN SFORZA COMPONE UNOS LOORES A SU DAMA MIENTRAS CÉSAR BORGIA MARCHA SOBRE PÉSARO

La gama de los grises y de los rosas pálidos
sosiega en la penumbra nuestros ojos
que han visto tanta muerte. Culebrinas, arietes,
pavos reales, fuegos de artificio
acarician los muros. Entre las arpas gira
un contenido vendaval de amor.
Eternamente jóvenes, esos cuerpos de niños o de diosas
no en el jardín, no expuestos
al fuego y a la nieve y al hierro de la lanza, sino cálida-
[mente
abrigados aquí, en el delgado aroma del marfil, no de-
[vueltos

221

al ciclo, a la vorágine de lo que vive y muere. No en el
[aire
que sacude la pólvora, sino en esta penumbra
entre un rescoldo helado de rubíes. Máscaras no co-
[rrompen
el finísimo brillo de las carnes de mármol. Eternamente
[jóvenes,
eternamente vivos, eternamente vivos como en el pri-
[mer día, debajo de la máscara,
y ni fuego ni muerte ni curso de las horas
habitarán jamás este salón.

(De *Dibujo de la muerte.*)

ERÓTICA DEL MARABÚ

Mirad el marabú, el pájaro sagrado.
Escruta el devenir, busca marsupio
en la tragedia,
degusta la carroña, picotea cucuyos,
cuando regresa al nido con el buche bien lleno
pliega las alas VED el valioso plumón,
escruta el devenir es el sagrado
avizora los ojos de las muertas
los deglute, no es un animal tierno
y sin embargo véla a la luz de su buche
zancas de marabú, pico amarillo,
torpes inclinaciones olfatorias,
su digerir es una ontología,
plumas negruzcas, su plumonpoemas,
el valioso plumón para el aposteriori
y exhibiciones-de-las-damas.

(De *El sueño de Escipión.*)

Antonio Colinas

Nació en La Bañeza (León) en 1946. Premio de la Crítica en 1976 por su libro *Sepulcro en Tarquinia*. Enseñó literatura durante cuatro años en las universidades italianas de Milán y Bérgamo. Reside actualmente en Madrid.

Obras: *Poemas de la tierra y de la sangre*, Diputación Provincial de León, 1969; *Preludios a una noche total*, Colección Adonais, Rialp, Madrid, 1969; *Truenos y flautas en un templo*, San Sebastián, C.A.P., 1971; *Sepulcro en Tarquinia*, 1.ª ed., Col. Provincia, León, 1975; 2.ª ed. Col. El Bardo, Lumen, Barcelona, 1976.

SIMONETTA VESPUCCI

> *Il vostro passo di velluto*
> *E il vostro sguardo di vergine*
> *violata.*
>
> (Dino Campana)

Simonetta,
por tu delicadeza
la tarde se hace lágrima,
funeral oración,
música detenida.
Simonetta Vespucci,
tienes el alma frágil
de virgen o de amante.
Ya Judith despeinada

o Venus húmeda
tienes el alma fina del mimbre
y la asustada inocencia
del soto de olivos.
Simonetta Vespucci,
por tus dos ojos verdes
Sandro Botticcelli
te ha sacado del mar,
y por tus trenzas largas,
y por tus largos muslos
Simonetta Vespucci
que has nacido en Florencia.

GIACOMO CASANOVA
ACEPTA EL CARGO DE BIBLIOTECARIO
QUE LE OFRECE, EN BOHEMIA,
EL CONDE DE WALDSTEIN

Escuchadme, Señor, tengo los miembros tristes.
Con la Revolución Francesa van muriendo
mis escasos amigos. Miradme, he recorrido
los países del mundo, las cárceles del mundo,
los lechos, los jardines, los mares, los conventos,
y he visto que no aceptan mi buena voluntad.
Fui abad entre los muros de Roma y era hermoso
ser soldado en las noches ardientes de Corfú.
A veces he sonado un poco el violín
y vos sabéis, Señor, cómo trema Venecia
con la música y arden las islas y las cúpulas.
Escuchadme, Señor, de Madrid a Moscú
he viajado en vano, me persiguen los lobos
del Santo Oficio, llevo un huracán de lenguas
detrás de mí, de lenguas venenosas.
Y yo sólo deseo salvar mi claridad,
sonreír a la luz de cada nuevo día,
mostrar mi firme horror a todo lo que muere.
Señor, aquí me quedo en vuestra biblioteca,

traduzco a Homero, escribo de mis días de entonces,
sueño con los serrallos azules de Estambul.

ENCUENTRO CON EZRA POUND

debes ir una tarde de domingo,
cuando Venecia muere un poco menos,
a pesar de los niños solitarios,
del rosado enfermizo de los muros,
de los jardines ácidos de sombras,
debes ir a buscarle aunque no te hable
(olvidarás que el mar hunde a tu espalda
las islas, las iglesias, los palacios,
las cúpulas más bellas de la tierra,
que no te encante el mar ni sus sirenas)
recuerda: *Fondamenta Cabalá*,
hay por allí un vidriero de Murano
y un bar con un músico muy dulce,
pregunta en la pensión llamada Cici
donde habita aquel hombre que ha llegado
sólo para ver gentes a Venecia,
aquel americano un poco loco,
erguido y con la barba muy nevada,
pasa el puente de piedra, verás charcos
llenos de gatos negros y gaviotas,
allí, junto al canal de aguas muy verdes
lleno de azahar y frutos corrompidos,
oirás los violines de Vivaldi,
detente y calla mucho mientras miras:
Ramo Corte Querina, ese es el nombre,
en esa callejuela con macetas,
sin más salida que la de la muerte,
vive Ezra Pound

(De *Sepulcro en Tarquinia.*)

225

Colección Letras Hispánicas

DE PRÓXIMA APARICIÓN